U0135727

中華民國如何不亡!?

以理性對抗民粹，
反轉大崩壞

楊志良——著

目錄

綠林好漢 —— 楊志良教授

江東亮

　　繼《拚公義，沒有好走的路》、《台灣大崩壞》，以及《分配正義救台灣》之後，楊志良教授又有新書要發表，這次書名更加聳動—《中華民國如何不亡！？》

　　我曾說：「當綠林好漢，楊教授最在行。」一般而言，綠林好漢關心的不是自己的利益，而是老百姓的生存與發展。

　　楊教授自2011年由衛生署署長位子下來以後，雖然「歸去，應該也無風雨，也無晴」，但他關心的範圍卻更廣：不只全民健保，而是全民福祉，並且經常在報章雜誌上發表文章，本書就是他近幾年的短文選集。

　　雖然楊教授發表的文章，每一篇的時空不同、內容也不同，但思想脈絡卻相當一致：世界亂七八糟的原因來自無能的民主，與信仰新自由主義，而解決之道則在於人人利他，因為有利群體生存，也必然確保個體生存。

一切唯心造，雖然楊教授的邏輯不易消化，我卻十分佩服他對台灣社會現象的分析，也希望大家能與他一起關心中華民國的未來。

　　　　（本文作者為台灣大學健康政策與管理研究所教授）

中華民國不能亡

趙少康

　　楊志良兄要出新書《中華民國如何不亡！？》，囑我為序，我欣然應允，覺得十分榮幸。

　　我第一次選台北市議員時，對政治完全陌生，僅憑一股書生報國的熱忱，初生之犢不畏虎，好傻好大膽的就撩下去。當時認識的人沒幾個，要找能夠上台演講的助選員，只能從學校裡找，志良兄就是我那時極少數的助選員之一。

　　我們不請客不送禮，不用傳統的打法，舉辦多場的政見發表會，到處宣揚理念，跟當時國民黨提名的候選人不願意辦政見發表會完全不同。結果初試啼聲就一鳴驚人，拿到國民黨參選人的最高票，替以後的國民黨候選人開創一種新的選舉方式。志良兄和我一起奮戰的情誼，令我至今難忘。

　　志良兄從少年時就懷抱經世濟人的理想，就算現在

年紀已經不輕，還是充滿正義，一身是膽，對看不慣的人事物，口誅筆伐毫不留情，常讓我想起他就是孟子所說的「大人者，不失其赤子之心也」，我們固然嚮往這樣的境界，但真正能放得開做得到的，又有幾人？

志良兄做過大學教授，規劃、推動過我國的健保制度，擔任過衛生署長，一生都在為國人的健康與公共衛生盡心盡力。古人說「不為良相，便為良醫」，在志良兄設計建立的健保制度之下，不知道直接間接救了多少人命，還有什麼事情比這個更有意義？

這本《中華民國如何不亡！？》，光看書名就十分聳動，書中包含層面很廣，從社會、政治、經濟、賦稅、農業、能源、國防、教育、分配正義到醫療衛生，在在都是他關心的題目，強烈的憂國憂民之心，躍然紙上。

這麼多重要的問題不能有效解決，離亡國也不會太遠了。不只志良兄，有識之士都心所謂危，但有權力的人卻整日勾心鬥角不以為意。台灣從李登輝中期就故步自封吃老本，二十多年來原地踏步，不進則退，人民苦悶，青年失去開創的機會，這些執政掌權的人能無愧乎？

志良兄能見人所不能見，他在書中的文章早就警告「馬克思陰魂必將再起」，由於貧富差距越來越大，分配出了大問題，沉寂已久的社會主義又有捲土重來之勢，尤其

在歐美諸國，右派固然興旺，左派也乘勢而起，給未來蒙上大片陰影。

志良兄大概覺得改革路上形單影隻、孤掌難鳴，最近號召有心的知識分子，想集合眾人之力，大幹一場，努力讓中華民國不會亡，過程必然十分辛苦，但至少盡其在我問心無愧。祝福志良兄能夠成功快意的馳騁在人生的下一個階段。

（本文作者為中國廣播公司董事長）

大砲嘴、菩薩心

蘭萱

　　說來或許有點難相信，前衛生署長楊志良老師，是我認識的政府官員，或說接受我訪談的眾多來賓當中，最愛哭的一個。

　　在我邀他談論公衛政策、社會議題的節目單元裡，不管談到老先生親手釘死久病老伴求判死刑；失業兒勒斃中風父親自盡雙亡的長照悲歌；單親媽媽、年輕情侶凌虐嬰幼童的毒品和家暴事件；或單純只是在居家附近，看見一位佝僂老婦在烈日寒風中拾荒度日…，往往事情還沒描述完，老師就哽咽語塞眼眶泛淚，無法繼續。

　　就節目來說，稍微中斷或停頓，只要不影響進行和播出，都不算大事，但對我而言，第一次碰到楊老師哽咽涕流、真情流露的柔軟另一面，心中其實是有點意外驚訝的。

　　畢竟，以一擋百、砲火四射，號稱「全台灣最有gus

的歐吉桑」，可不是白叫的。

他在馬英九執政時期，為捍衛健保調高保費，舌戰立委、力爭民意那一役，雖終以賠上烏紗帽下台作結，但在政策論戰的槍林彈雨中，不僅得以倖存沒當砲灰，甚且搖身一變成為馬政府閣員中民調最高者，堪稱近十年來的官場奇蹟之一。

「勇伯楊志良」顯然不是八字超重，就是命特別硬。

大家都知道，在台灣，不管藍綠政府，多數且「正常」的施政狀況是，管它財政多拮据、理由多牽強，只有凍漲減稅多發錢的份，沒有漲價增稅少福利的膽。若主政者決心推動某項合理該做的漲價方案，負責執行官員大抵心知肚明，自己必定要戴上頭盔做犧牲打。

而且倘若「功成」、「身退」，還算求仁得仁，最怕是該被罵的、該犧牲的一項都沒少，仍不敵反對聲浪而將帥卻步喊停，終究只添政壇又一縷冤魂。

所以在我看來，台北市長柯文哲喜歡掛在嘴邊的「凡殺不死我者，必使我更強大」這句話，其實更適合用在這位下台卻沒陣亡的前衛生署長身上。而離開政壇後的楊老師，果然亦未辜負眾人對他直言敢言的期待，包括在我力邀之下，慨然允諾到廣播節目中，換個角色繼續為公共政策奮戰。

話說老師雖然愛罵人，光靠罵政府就寫了好幾本書，但私底下的他是溫暖體貼的。猶記得在訪談建立默契之初，幾次觸及敏感爭議話題，他總不免替我顧慮地問上一句，你真的要談嗎？你敢談我就敢講喔！而我總是笑答，當然講啊！只要有憑有據，你敢講，我就敢問敢談！

　　愛罵人的楊志良老師，相當程度點燃我老派記者魂中，「不容公義盡成灰，不信真理喚不回」的餘燼。而愛哭的楊志良老師，讓人從感性層面更加領略這顆悲天憫人的柔軟慈悲心，如何想要奉獻他口中年逾七十的「剩餘價值」，給這塊鍾愛的土地和人們。

　　台灣政壇從來沒有真正的左派，雖然人們總愛說左派屬於天真浪漫的年少輕狂，但若實質偏右的台灣政治，能夠稍微往左傾聽關懷底層、心繫弱勢的真誠聲音，反思包容若干主流之外的改革主張，未嘗不是件多元激盪的好事。

　　關乎台灣未來十年的總統大選關鍵年，楊老師「大砲嘴、菩薩心」，再次出書論國家興亡，對有權力者罵，為弱勢者悲，且看他如何替紛擾台灣而謀劃。

（本文作者為資深媒體人）

右派社會中的大左派

葉金川

「政治人物」有兩種,「政客」短期操作,關心自己、族群和政黨利益;「政治家」著眼未來,關心政策方向、整體和永續。楊志良當然不是政客,但我認為也不能稱之為政治家,因為他雖然擔任過衛生署長,但可惜的是時間不長,產生的影響有限。

根據我的觀察,他比較像是個左派學者,一生最在乎的就是公平正義。我常開玩笑說他是共產黨,因為他對分配議題的堅持,大概已經超越社會主義,達到了共產黨的等級。對比之下,現今中國大陸的共產黨,根本就像個笑話。

這個左派的學者,很幸運的有過一次實現理念的機會,就是1995年實施的全民健保。在一個右傾的政府下,成功規劃出一個非常左派的制度,雖然小毛病不少,但已經是全世界病情最輕、問題最小的健保制度之一,可以說

是台灣這幾十年來最偉大的社會工程，實在是不容易，楊志良的功勞絕對要記上一筆。

但是這位左派學者也很不幸的，必須身在現在的台灣，當然會覺得痛苦。因為兩大黨和多數的小黨，都是大右派，只有極少數人真正關心公平正義，以及社會議題。

台灣所謂的民主，現在只剩下了選舉，全民熱衷選舉，但選舉又只剩下了統獨，對社會議題漠不關心；「轉型正義」早不見正義，只有仇恨與報復；少數理性又有知識、能力的人，因為怕熱不肯進廚房，又怕吵，放任社會輿論被政論名嘴綁架，縱容政客予取予求。楊志良在這樣的大環境下，還是滿腔熱血，一頭熱的想要改變政治氣氛，身為他的好友，很佩服他，但也有點同情他。

楊志良也讓我想到美國民主黨的參議員桑德斯（Bernie Sanders），他主張的「Medicare for All」在美國新自由主義的氣氛下，應該是顆毒藥，所以2016年民主黨總統提名時輸給希拉蕊。現在捲土重來，再度爭取2020年民主黨提名。神奇的是，在他鍥而不捨的努力下，「Medicare for All」已從原本的毒藥，搖身一變成為民主黨的主流民意。

從桑德斯身上可以看到，理想主義者的努力，還是有回報的。一個理念要落實，需要有人倡議、有人支持、

有人付諸行動。楊志良和桑德斯就是倡議者，在一片紅海裡面提出了藍海，重要的是，他們身上有同樣的意志力和鬥志，百折不撓。那麼誰是支持者和行動者？當然是你、我，每一個人都有責任。

這本書裡，討論了各個面向的問題，統獨議題當然有，但短期之內不易解決，吵成一團也沒用。火燒屁股的社會問題，勞保年金、長照、少子化、青年就業、普遍低薪、財務分配、國軍士氣和兵源、毒品、能源政策⋯⋯不牽涉藍綠，才是最需要理性辯論的。

書中第二部對這些議題提出了解決方案，中心思想就是公平正義。這些解方不一定對，所以需要所有人一起討論、對話、取得共識。關心台灣的人，不妨仔細看看、想想，幫台灣找到一條出路。

（本文作者為慈濟大學公衛系榮譽教授）

不信正義喚不回！

中文之妙，妙在文句相同，卻可有完全不同的意義。

先從負面解讀，怒歎「中華民國如何不亡！」乃因台灣目前內外情勢與鄭成功王朝末期十分相似。鄭成功在世時力精圖治，水師兵強馬壯，曾反攻包圍南京，但功敗垂成，返台驅逐荷蘭，據台為王。然而在鄭經、鄭克塽繼任之後，內鬥不止，國力弱化。康熙帝決心攻台，派施琅才攻下澎湖，鄭克塽隨即投降，鄭氏王朝終結。

台灣則是自解嚴後，就陷入政黨惡鬥，統獨衝突，代間對立日益嚴重，貧富擴大、社會分裂。本人2012年出版《台灣大崩壞》，當時台灣已經「不婚、不生、不養、不活，年輕人沒有前景」。此書至今已印行11刷，若干社會賢達或應讀過；為提出解方，再於2015年元月出版《分配正義救台灣》，該書雖未必能完全解決「四不一沒有」，但自認確能減緩台灣當前的困境。

但遺憾的是，言者諄諄，聽者藐藐，多年過去了，政黨也輪替了，能救台灣的分配正義，仍未在這塊土地實現，使得情況非但沒有改善，反而更加惡化。加以當前執政當局，施政荒腔走板，使台灣相較中國大陸及鄰近國家更為弱化，且不斷刺激對岸，情勢緊張，被中共併吞的風險不斷升高，滅亡之日已迫在眉睫。

　　然而，我們就此坐以待斃、放棄反轉嗎？當然不！當然要切切急問「中華民國如何不亡？」但是機會實在不多了，首先民進黨不倒，中華民國一定亡；其次若能做到以下數點，或可救亡圖存：

　　一、中興首在人才，總統候選人在選前應比照歐洲先進內閣制國家，提出「影子內閣」，並獲得當事人同意，以供選民檢視。

　　二、所有候選人之政見，均需提出具體財務計劃，且比照當年全民健保規劃精算25年（至少10年），包括實施至少20年之影響評估。避免口號騙選票，債留子孫。

　　三、恢復徵兵制及實施婦女一生至少服一年社會役，全民相互扶持。

　　四、薪資稅可以凍結，甚至降低，但資產稅提高，專款用於支持育兒之家庭。稅賦占GDP比率至少提升至15%以上。

中華民國如何不亡!?

五、稅賦未能提升前，各項福利措施以排富為主，讓中低收入者可持續享有基本生活各項輔助。

　　台灣當前政治人物，普遍且一再以民粹討好，騙取選票，以贏得一時政權，卻輸掉了整個國家。主政者沒有長遠的規劃，如何促進全民理性思辨，共創未來？唯有全民同心，選出具有能耐的執政者，建立友善互動的社會，才能使中華民國不亡，並且成為更加繁榮興盛的國家。

　　近十數年來，各界，特別是政治人物，均在「拚經濟」，然而經濟發展是手段而非目的，國家發展目標應是國民的健康快樂。1972年，前不丹國王即提出「國民幸福指數」（Gross National Happiness, GNH）；2011年聯合國大會通過65/309決議案：「幸福：朝向整體發展的定義」（Happiness: towards a holistic approach to development），確認快樂才是發展的終極目標（當然，經濟及財富分配，也是快樂指標之一）。從2012年起，聯合國就每年公布各國的快樂調查結果，最新是2019年版。而台灣仍一再強調拚經濟及GDP的成長，實在落後世界潮流甚遠。

　　台灣的公共衛生醫療體系與全民健保，是台灣目前少數，甚至幾乎是唯一可傲視全球的成就，也是台灣民眾幸福感的重大因素。然而台灣醫療體系與全民健保的永續，在近期內將面臨十分嚴峻的挑戰，因此這些挑戰及可能的

因應，也為本書重要的一部份，提供各界卓參。

　　本人一向思慮不周、文字粗疏，承蒙好友丁希如博士不吝担任編輯工作，重整章節，修訂文字，特此感謝。

第一部

中華民國如何不亡！

1

中華民國哪能不亡？

> 兩黨相互毀滅，
>
> 寧願失掉國家，也不願失掉政權，
>
> 似乎比習大大更急於促進兩岸的統一。

　　這裡所說的「中華民國滅亡」，不包括以下情況：

① 在民主程序下，多數人同意更改國名為「台灣（共和國）」。

② 在多數台灣人民同意下，與中國統一。

　　因此本文所言的「中華民國滅亡」，是指在多數台灣人民不贊同之下，被中華人民共和國併吞。我為何如此甘犯眾怒、傷害大家感情，直指中華民國哪能不亡？原因如下：

一、能人不願進政府擔任政務官

事多、錢少、責任重不是問題，憂國憂民的有志之士從來不缺，但在立法院遭受非人的人格糟蹋，嗜血的媒體再補一刀，誰還願意擔任政務官？《今周刊》曾以「缺官」為封面，報導多少各界公認的「能人」拒入官場；我也曾被「長官」要求推薦人才，結果也是被「打槍」。因此敢說目前檯面上的官員，除極少數外，連二、三軍都算不上。一個國家無法進用才智之士，有如明末崇禎帝之嘆，哪能不亡？

二、軍公教離心離德

「軍、公、教、警、消」吃公糧，當然應盡心盡力為公僕，但也應有「人的尊嚴」，不應予以羞辱。這次年金改革，綠委、名嘴照三餐辱罵軍公教為肥貓也就罷了，甚至由行政院發函要各單位掛布條，直指目前退休金及18%為不公不義。目前退休辦法絕非領取退休金者訂定的，他們是被動領取。如果政府一開始先肯定軍公教對今日台灣的貢獻，再以安撫口吻，懇切拜託退休軍公教共體時艱，調降超過天花板者及過高替代率，想必大多數退休軍公教可以接受。

士可殺不可辱，民調說六成以上民眾贊成此次的年改，其實退休軍公教只占人口5%，若目前退休金真的如此

不公不義，贊成年改者應為95%，顯然有近30%的一般民眾，不支持政府的年改。

等到強行通過年改，綠委才一起鞠躬感謝軍公教，陳副總統才說對老師、朋友們抱歉，原來鱷魚真的會流淚。一個國家，軍、公、教、警、消不爽，能有效治理嗎？哪能不亡？

三、國防廢弛

「無國防武備者，國恆亡」，以色列男女均要服役就不用說了，即使是永久中立的瑞士，也是徵兵制，男性均要服役。對岸倡言不放棄武統，軍力不斷增強，我方根本沒有廢止徵兵改為募兵的本錢。

加以過去數年對軍人極端輕蔑，又為年改對象，高喊台灣獨立者，又有哪位鼓勵子女參軍？募不到兵，軍中基層軍官空缺處處，一個受武力統一威脅的國家，只能高度依賴他國的保護，哪能不亡？

四、去中國化，分裂台灣

「中國」至少有三個意涵：血緣的中國、文化的中國、政治的中國。

血緣的中國是個人無法選擇的，更無所謂是非對錯，目前檯面上的政治人物，不論是李、陳或是蔡，血緣上都

是中國的，我們的姓氏，除原住民外，哪個不是中國的？

文化上，語言、文字、思維，即使兩岸長期分治，台灣發展出不同的文學與藝術，其根源仍是中國的。

有趣的是，當年中國大陸在文革，台灣在文化復興，今日台灣執政當局要去中華文化，對方在大舉設立孔子學院。

日本據台50年，致力於消除中華文化，強制台灣人寫日文、講日語、拜日神、改取日名、廢舊曆過年，一點效果也沒有，端午、中秋、元宵照過，媽祖、關公照拜。綠營極端者倡議不可拜中國的神，書法、扯鈴均不可補助辦理，必然徒勞無功。

去政治的中國，不接受政治的中國，相信絕大多數台灣人均高度支持，但去血緣及文化的中國，必然造成台灣內部的困惑、分裂及鬥爭。

五、建設無方，浪費資源

台灣自從李登輝執政後，歷任總統、地方諸侯、民代分贓，從事民粹建設，蓋了六大冊的蚊子館，其中以4,000億的核四最具代表性；然後再花大把預算去活化「閒置公共設施」，浪費民脂民膏，莫此為甚。

前瞻計劃並未回顧檢討過去從政策制定、計劃執行到施工上的系統性失誤，8,800億必然又是蚊子館一堆，進一步弱化台灣，哪能不亡？

六、人才、資金外流

由於施政偏頗，台灣人才外流嚴重，高階科技人才、傑出教授大量被挖角，年輕一輩也大量赴大陸就學就業。人才為中興之本，人走了，錢通常也跟著走，鴻海、台塑、義聯等大量投資海外，空洞弱化台灣，哪能不亡？

七、不婚、不育世界第一，不養、不活盛行

就以生育來說，平均每名婦女只育一名子女（低於日本的1.46），也就是台灣每隔一代，人口減少一半。分子不變（未來老人數目是可預期的），分母大幅減少，所以人口老化速率世界第一。

為何不生？因為在台灣婚姻與生育高度相關，通常不結婚就不生孩子，目前近1/3婦女到40歲仍未婚，生育率自然低落。

為什麼不婚？絕不是只因個人享樂主義，而是通常沒房就不婚；為何沒房？因政府政策鼓勵炒房（16年的收入才能買房，世界第一）。房價高了，相對勞動就貶值，要打更多的工、種更多的稻穀，或賣更多牛肉麵，才能買一坪房子。

不過數年，人口將逐漸減少，何只是國安問題，根本就要亡國。

八、汙衊陸民，激化武統

　　不願擁抱，至少做個朋友；不做朋友，至少不是敵人。台灣不管是獨或統，友善對台的中國民眾，必是有利而無害。台灣真正要對抗的，是想滅台的共黨政權，而非中國人民。但綠營人士，特別是若干媒體，不斷醜化中國人，甚至在報刊上稱之為「中國豬」。

　　對待來台求學的陸生，更是不公平，不但不得享有一般外籍生申請獎學金及打工的權益，又不准陸生加入健保，認為是欺負台灣人。其實陸生比照外籍生，不是更體現「一邊一國」的現實？且陸生絕大部分很年輕，入境之前都經過體檢，其就醫費用少於自行負擔的健保費，是健保占外籍生便宜。

　　大陸政府嚴控媒體，但台灣對大陸人的不友善卻廣為周知，更激起大陸人民（網友）怒台，傾向於武力統一者愈來愈多。民族（國族）主義最易激起民眾同仇敵愾，大國崛起，偉大民族復興的想望，讓中國人民包括知識份子，暫時忘卻不民主及不自由，而有利於極權統治。

　　早年中國知識份子多羨慕台灣的民主自由，然而在台灣政治民粹化後，反多支持維穩。歷史證明，多元社會與極權國家交往，垮台的一定是極權國家，東德與西德、東歐與西歐，北韓與南韓，古巴與美國，害怕交往者都是共產政權。然而綠營卻充滿失敗主義，恐懼交往，陸生來就是統戰，台生去就是接受洗腦，學界交流、兩岸經貿亦是

如此，且經常紅帽亂飛。綠營懼敵又不願知敵，多位陸委會主委（包括蔡英文）從未赴大陸。

裝睡的人叫不醒

以上種種，顯示台灣處境至為危急，兩黨人才濟濟，難道均不明白？可是裝睡的人叫不醒，兩黨惡鬥，以民粹式的民主取代理性的民主，用最便宜的口號及代價，騙取選票。兩黨相互毀滅，寧願失掉國家，也不願失掉政權，好似老共派來的第五縱隊，急速弱化台灣，似乎比習大大更急於促進兩岸的統一。

如何解救中華民國於滅亡？一是選出優秀傑出的領導者，但依過去一再失敗的經驗，很困難。二是追隨日據時代的辜顯榮，當個順民，但，您甘願嗎？

2

信仰新自由主義，
害慘台灣

> 台灣從高峰走向崩壞，
> 就是因為近四任主政者，
> 都犯了一個嚴重的錯誤！

　　2014年2月，時任行政院經建會主委的管中閔說：「早就沒有亞洲四小龍了。」一語戳破台灣長久以來自欺欺人的假象，也一語道出台灣現況的淒涼！日升日落，地球依舊每天運轉，但台灣，早已不是1980年代那個經濟快速起飛、和新加坡、香港、韓國同時崛起的小龍了！

　　所有的社會現象都是結果，所有結果都來自於政府施政，而政府採行何種政策，則是基於主政者信仰的意識形態和思維，台灣從高峰走向崩壞，就是因為近四任主政者，從李登輝、陳水扁、馬英九到蔡英文，都犯了一個嚴

重的錯誤，就是跟著美國走！

四位總統政治思維各有不同，但對台灣的經濟發展卻一致採行美國「新自由主義」（Neo-liberalism），高度偏袒富人、貶抑勞動價值，台灣目前所有的問題，都是從這裡開始。

長期採行錯誤的施政方向及方針，不但造成經濟出現大問題，讓台灣前進的方向轉了大彎，原本朝著均富的社會邁步，卻調頭走上貧富差距愈來愈大的歧途；環環相扣，進而影響其他層面，政治上，政商水乳交融，形成政黨、民代、財團共犯結構，台灣整體發展陷入泥淖。

李登輝的自由開放，帶進黑金政治

1988年1月李登輝接任總統，意味台灣威權統治年代的結束，急於為台灣撕掉「威權」標籤、改貼「民主」標誌的李總統，在經濟發展上向新自由主義靠攏，高舉反壟斷大旗，將國營事業民營化、開放金融業、反對證券交易所得稅、反對都市平均地權等連串政策，將台灣原本不明顯的貧富界限劃出清楚的分隔。更糟糕的是，為了拚經濟，帶進了「黑金政治」，成為台灣沉淪的開始。

最明顯的例子是廣設銀行，在兩蔣時代，銀行為特許行業，當時全台灣銀行家數為25家，李登輝繼任後，打著「金融自由化」的旗幟，為財團開銀行鋪設康莊大道：透過修改銀行法，台灣共核准增加16家新銀行。開放新銀行

設立後，財政部後續同意多家信用合作社、信託公司改制成為商業銀行。

對於這項金融開放措施，另有一說是李登輝就任總統後為鞏固自身勢力，對抗黨內的權力鬥爭，透過開放新銀行，換取本土大老闆政治上的支持。但無論是單純市場開放的考量，還是政治目的介入，這項開放政策，讓政商緊密結合，成為生命共同體，重傷台灣的分配正義。

1991年年底起，新銀行陸續開張營業，金融市場飽和、競爭激烈，為了爭取客戶，部分銀行或降低承作標準、或放寬授信條件，削價競爭，以致不良債權大增，金融業逾放比過高。1998年台灣爆發本土金融危機，中央票券公司跳票，連鎖反應是宏福票券、泛亞銀行、台中企銀都出現經營危機，引發金融業震盪。李登輝說台灣的銀行太多了，財政部也依銀行法「主管機關必要時可以暫停受理新銀行申請案」的規定，宣布暫不受理新商業銀行與工業銀行的申請。

雖然新設銀行喊卡，但已營業的新銀行一家家出狀況，民進黨執政後，2000年「南霸天」王玉雲創立的中興銀行爆發一百多億元的非法超貸弊案；2001年10月中央存款保險公司接管中興銀行。自此中央存保公司一直忙著接管出紕漏的銀行，2006年12月接管台東企銀、2007年1月接管花蓮企銀及力霸集團王又曾創辦的中華商銀、2007年接管寶華銀行（前身為長億集團楊天生創辦的泛亞銀行）、2008年9月接管慶豐銀行…。

這一波金融危機中也有重量級政界人士落馬，李登輝時代的立法院長劉松藩，與前廣三集團總裁曾正仁，共同向台中商銀超貸15億元，抽佣1億5千萬元，涉及共同背信罪；曾經在立法院「喊水會結凍」的國民黨立院黨鞭廖福本，後因奇美假股票案入獄；李登輝的大掌櫃劉泰英也因侵占政治獻金及國安密帳等案，觸犯侵占、背信、銀行法、稅捐稽徵法、公司法等罪而被判刑入監。

陳水扁的自由開放，貪贓枉法

　　陳水扁在李登輝之後當選總統，官商勾結充分印證了「青出於藍、更勝於藍」這句話，陳水扁的財經施政，可以用「亂」跟「貪」來總結！

　　阿扁上任後宣示，經濟是台灣的生命線，如果經濟垮了，台灣也完了，因此要暫緩社會福利，經濟優先！延續新自由經濟的主張，以「發展經濟」為理由，扁政府發揚光大李登輝的黑金政治，重建執政黨的政商關係，熱烈擁抱親綠財團，紅頂商人「世代交替」。民進黨執政後所作所為完全與黨綱背道而馳，和國民黨一個半斤一個八兩，台灣焉能不繼續向下沉淪？

　　具體施政上，阿扁任內不斷「改改改」，扁政府曾召開兩次全國稅改會議，但在財團運作下，立法院財委會及財政部對結論束之高閣，一無作為。但最糟糕的改革是金改，2001年推動第一次金融改革，2004年推動第二次金融

改革，但兩次金改只更讓台灣社會愈來愈遠離分配正義。

一次金改又稱「二五八金融改革方案」，扁政府的目標是兩年內將金融機構壞帳比率降到5%以下，銀行資本充足率提高到8%以上，以強健金融市場體質。而新銀行管理不佳經營不善，理應由股東負責，但陳水扁政府卻以「金融改革」為名，立法設置金融重建基金，用全體納稅人的錢為新銀行補破網。以中興銀行為例，中央接管四年後，終於將這個燙手山芋拍賣出去，但金融重建基金必須填補641億元，這筆錢的每一分一毫，都來自普羅大眾繳的稅！

二次金改宣示為擴大規模、提升金融業國際競爭力，金控公司兩年內要創造三家市佔率超過10％的銀行、公股金融機構家數由12家減至6家、金控家數由14家減至7家、至少一家金控到海外掛牌或引進外資。理由冠冕堂皇，但實際情況卻是阿扁藉「二次金改」為財團打開併吞公營金融機構的後門，將公營行庫以低價賤賣給特定的民營金控公司。

李登輝有大掌櫃劉泰英，陳水扁不遑多讓，也有一忠心耿耿的大掌櫃鄭深池，在二次金改中穿針引線，並擔任金融業者行賄扁家輸送賄款的白手套，協助陳水扁上下其手賤賣國產、掏空國庫。

陳水扁也在卸任後被查出多項弊案，包括龍潭購地案、二次金改元大併復華案、國務機要費案、機密外交案、海外洗錢案等多案，官司纏身。其中他和妻子吳淑珍

在二次金改時，收受元大集團創辦人馬志玲兩億元賄賂，協助元大證券購併復華金控，扁、珍各依貪污罪被判刑10年及8年。

馬英九的自由開放，忽視分配議題

馬英九的政治個性是不沾鍋，他個人沒有貪腐問題，帶領行政團隊卯足勁拚經濟，但卻忘了拚經濟的目的是什麼！

馬政府的經濟學博士、院士一堆，但這些經濟專家，包括中央研究院經濟研究所、台灣經濟研究院，永遠只在研究產業如何把餅做大致富（包括WTO、TPP、RCEP及服貿），讓資本家更富有，卻忽略經濟學中「分配」這個重大議題。

一般百姓能否分享經濟成長的果實，甚至收入倒退的問題，似乎從來不在這些專家關切及研究的範圍。馬政府雖嘗試解決軍公教退休金及勞保年金不公不義的情況，以及實施房地產實價登錄（實價徵收仍遙遙無期），但改革還是太少、太慢，對改善貧富差距於事無補。

蔡英文的自由開放，就是隨人顧性命

蔡英文繼任之後，有過之而無不及，行政院主計總處發表的數字顯示，2017年的貧富差距比2015年更大了，前

20%的年度所得，是後20%年度所得的6.08倍，連續二年擴大。而蔡英文竟無所覺，不管是在民進黨全代會還是在各地輔選時，皆一再高調宣稱，各項經濟指標是20年來最佳狀態，卻不知對基層民眾來說，幸福感卻可能是20年來最差。

尤有甚者，蔡英文大力推動的「長照2.0」，堅持推翻原本研擬的「保險制」，改用國家稅收支付長照費用，表面上是左派政策，卻不顧慮台灣稅收在不斷的民粹討好選民之下，已經嚴重不足，只占GDP13%，是先進國家中最低者，只有日、韓的一半不到。使得「長照2.0」目前能照顧的人數，只有所有需長照人口的14%，其餘86%只能「隨人顧性命」，是標準的大右派。

分配，才能讓福祉最大化

餅做大了，自然而然就會普及到底層（所謂「滿溢理論」），只是新自由主義者及資本家想像的神話，實際上是要有條件的。國家發展委員會對於每項經濟計畫，除了評估對經濟成長的影響外，更應評估對於所得分配與貧富差距的影響。

例如在70-90年代初期，家庭即工廠，農民勞動力大量釋放到加工出口區，人人就業或當起小老闆，餅不但大了，人人也都分到一塊。但目前餅大了，卻集中在少數人，社會總體效用反而減少了。因此經濟成長、所得分

配，與財富帶來的總體效用（福祉）之間的關係，是經濟學的重大研究課題。

　　從國家領導人選擇信仰新自由主義起，就注定台灣走下坡的命運，因為國家的命脈完完全全掐在資本家手裡，讓唯利是圖的資本家治國，台灣還有前途嗎？

3

台灣應該學習
哪一種民主？

美國推行的資本主義民主，
造成了多數人經濟上的不平等，
並惡化成為階級對立，這樣的民主必然失敗。

　　1990年柏林圍牆倒塌，東西德統一；接著雷根總統口中的邪惡帝國蘇聯解體；中國則自四人幫倒台，鄧小平即採行「社會主義下的市場經濟」，全球真正的共產國家，只剩下不足道的古巴及北韓，與其「誓不兩立」的民主制度，看似獲得了壓倒性的勝利。

強推民主，只讓人民更痛苦

　　冷戰結束，美國及英、法等西方民主國家，以勝利

者的姿態及傳教士般的熱忱，向全球進一步推動西方的民主，掀起第三波的民主化浪潮。但二十多年來，民主化浪潮不但乏善可陳，而且造成無數生命財產的損失及苦痛，可謂是民主制度的大潰敗。

以美國為首，直接介入，推翻當地原政權，建立民主政體的伊拉克、阿富汗，以及美國強力扶持的巴基斯坦，宗教的、部族的、階級的，各種內部衝突不斷，炸彈客及攻擊事件無日無之，生命的損失及民眾的流離失所，比原獨裁政體有過之而無不及。

至於花費呢？則是天文數字。2003到2010年，僅只美國國防部的直接軍事支出是美金7,578億；美國布朗大學的估計，包括間接的軍費是1.1兆；而世界銀行首席經濟顧問，也是諾貝爾經濟學獎得主史迪格里茲（Joseph Stiglitz）的估計，僅只美國，不包括英國及其他參與國家，各項軍事及重建伊拉克的支出，就高達3兆美金（台灣被認為相當浪費的全民健保，一年不過200億美金），亦即美國每個家庭負擔7萬5千美元。

而美國卻有4,000萬人依靠食物券維生，全民健保七零八落，很多民眾看不起病。強迫伊拉克引進美式民主，只有讓伊拉克人民更加痛苦，讓美國人民更加貧窮；得利的是美國軍火商、傭兵集團的黑水公司與石油公司，進一步造成美國貧富差距擴大、財富集中、社會整體福祉下降。

民主並不保證免於恐懼

　　另一個例子是埃及及中東的茉莉花革命。2011年原來執政近30年的獨裁者被民眾趕下台，引起一連串的「阿拉伯之春」，人們歡呼勝利，享受一人一票的民主自由。代表穆斯林兄弟會的自由正義黨成為第一大黨，候選人穆西成為埃及歷史上第一位民選總統。然而穆西及兄弟會的治理一團糟，社會分裂，一年間示威遊行9,000多次，國無寧日、經濟惡化，失業率從9%升至13.2%，在年輕人則高達40%，軍隊只好再出來接管，一切又回到原點。

　　泰國也是一個民主失敗的例子，不斷在軍事政變、民眾推翻軍人獨裁、民主選舉、民主政府無能導致民眾上街頭，又再次軍事政變的輪迴中。最近一次事變是民選的盈拉，為使其因貪污罪流亡的兄長塔信回國，引起都市中產及資產階級的黃衫軍佔領政府各部會，政府運作停擺，軍人只好再政變推翻及接管民選政府。

　　還有印度、印尼，特別是菲律賓，都是民主或美式民主國家，但民眾並未免除飢餓、貧窮、恐懼及疾病的自由（沒有全民健保），政局也是起起伏伏，政爭導致流血政變，幾成連續劇。

　　前蘇聯的橘色革命亦是如此。烏克蘭的民選政府受到蘇聯裔民眾，特別是克里米亞地區的脫離份子武裝叛變，以期納入俄羅斯國，結果生靈塗炭，也導致馬來西亞航空受無妄之災，在衝突中被擊落，無人生還。中南美洲的狀

況也莫不如此，非洲國家的民主化更是悲慘，簡直成為殺戮戰場。

民主其外，民粹其中

這些國家內部原本就存在種族、文化、宗教、階級等各種差異，盲目依照美國模式實行政治改革，帶來的不是經濟發展、政治穩定、社會進步，而是為爭取選票以掌握政治權力，再由政治權力以掌握財富，而導致的政黨林立、派系對立、社會分裂與仇恨加劇、政府效率低下、政治機器陷於癱瘓，民生凋敝。

至於美國本身也好不到哪裡去，相關研究不斷出爐，資本主義下的民主已將美國帶向衰亡。史迪格里茲的著作《不公平的代價》（*The Price of Inequality*），以及美國前副總統高爾（Al Gore）的著作《驅動大未來》（*The Future*）均指出，美國企業的力量已經大到足以威脅政府，遊說公司數目10年來從175增加至2,500，說客開支從1億美元增至35億；1970年代將卸任的國會議員只有3%受聘為遊說人員，今日則半數參議員及四成眾議員成為說客；2014年立法通過，不論個人或公司，政治獻金無上限；最近總統選舉花費暴漲至60億美金。

美國不再是民有、民治、民享，而是1%所有、1%統治、1%享用。人民成為選民，民主成為選主，選完以後人民成為奴隸。

金錢成為金權，2001年小布希在石油及天然氣公司影響下，退出「京都議定書」，完全漠視社會大眾，甚至全人類的福祉。美國通過的法案排斥弱勢群體，只強調程序民主，以民主的名義，行使民粹、黑金政治，無法超越黨派利益。競爭性選舉導致美國兩黨惡鬥、政府效率低下，成為政黨相互否決政體。連曾任美國副總統的高爾，在觀察美國政治運作之餘，都不得不嘆稱，美國政治表面上是一人一票，實際上是一元一票，選上的都是代表資本集團的利益。

　　2008年雷曼兄弟引爆金融大醜聞，華爾街的CEO們一樣領高薪，債務則讓世界各國的存款人，包括眾多退休基金承擔或破產。這是美國金融治理的大烏龍，吸取全球的錢讓少數人享用，然後倒債讓全球遭殃，但是美國政府從未道歉，更不說賠償，這就是典型的美國資本帝國主義。

權利地位的平等，建立在經濟平等

　　然而，民主真的無用嗎？民主制度與共產主義，同樣一點都不可取嗎？不盡然。瑞士是多種族國家，法、德、義大利三區風情各異，教派也不相同，民主制度卻運作良好。北歐的瑞典、丹麥、挪威、芬蘭、冰島，是世界上市場最開放的國家，政府最透明、廉潔，外債少，經濟成長率一般高於OECD國家的平均，幾乎沒有種族歧視，援外

佔GDP比率世界之冠，工人參加工會比率遠高於美國，勞資糾紛少見。且均為大政府，例如丹麥38%的就業者為公務人員，民眾也樂於交重稅（占GDP 40-50%），所交的稅，就算沒有物超所值，也至少值回票價。

　　所有美國的民主弊端，在這些國家都難於發現，到底原因為何？其實很簡單。這些國家政治上採行民主主義，生產採行市場經濟，分配則採行社會主義。因為生產力提高，平均國民所得5萬5千美金以上，高於美國；又重視分配，政府富有，有充足的經費投入教育、公共建設、家庭照顧（這些國家婦女平均生二個小孩，而婦女勞動參與率80-90%，遠高於台灣的50%，卻沒有婦女育嬰、事業兩頭燒的現象）。也就是因為財富高度重分配，財富總體增加的效用（福祉），遠大於移轉的成本（Transaction cost），故能成為世界上最幸福的國家。

　　總而言之，錢與權如同雞與雞蛋，沒有錢就沒有尊嚴，權利地位的平等，必定要建立在經濟平等的基礎上。美國推行的資本主義民主，造成或加強了多數人經濟上的不平等，並惡化成為階級對立，這樣的民主必然失敗。反觀北歐等國，財富獲得合理重新分配，民眾享有經濟上的平等，社會福祉總體提升，民主就能真正落實。台灣應該學習何者，走向哪一種民主，答案難道還不夠清楚？

4

馬克斯的陰魂必將再起

無力反轉商、媒、政的結合，
勞動價值不斷被貶抑，貧富差距不斷加大，
再這樣下去，99％對1％的鬥爭勢必出現。

　　鳥為食亡，人為權死；問世間權是何物，直叫至死不放。

　　古今中外，不論帝王將相，左派右派，一旦掌權，莫不緊握手中，至死方休。此與意識形態無關，左派的北韓金日成父、子、孫，古巴的卡斯楚兄弟，委瑞內拉的查維茲等；右派的蔣氏父子，韓國朴正熙，越南吳廷琰，伊朗巴勒維，敘利亞阿賽德父子，不一而足。權力集中不放，就算開國明君，也會日久玩生，就如乾隆；更不用說終將傳至昏君，禍國殃民，生靈塗炭。像蔣經國能「自我了

斷」，宣佈子孫不再當權，則是特例，甚至能像中共正常
「換屆」，也非容易。

民主並不保證幸福快樂

　　人人都想掌權，那就改用數人頭代替打破人頭，若干
時間選一次總統（總理、首相），且限定任職的時間及連
任的次數，用現代的民主制度，讓大家都做頭家。

　　看起來人民當家作主，大家都平權了，豈不應該世界
大同了？但事實如何？民主有比獨裁帶給民眾更多的福祉
嗎？印度是全球最大的民主國家，但人民有免於貧窮、無
知、飢餓、恐懼、疾病的自由嗎？印尼、菲律賓、泰國不
也都是民主國家，情況又如何？有免除聯合國宣言中欲消
除的苦痛嗎？就連自認為民主國家龍頭的美國，領取食物
券（Food Stamp）的窮人達到4,637萬，是總人口的15%；
有850萬人嚴重營養不足，其中300萬是孩童，根本沒有
免除飢餓的自由。

　　更嚴重的是也沒有免除恐懼的自由，不只在國際上要
反恐，在國內也不得安寧，美國每年死於兇殺案者達1萬5
千人以上，每10萬人口就有4.8人因兇殺死亡，是挪威的
10倍，荷蘭的5倍，英國的3.5倍，根本沒有免除恐懼的自
由。

　　此外，雖法令已通過，但全民健保至今還沒有完成，
美國人連免除疾病的自由也沒有。因此，民主只是幸福快

樂的必要條件之一，但並不保證一定能幸福快樂。全球算
得上幸福快樂的國家，大概只有北歐的瑞典、丹麥、挪
威、芬蘭了。

　　為何民主未必帶來幸福快樂？主因之一為雖然「權」
分給了每個人，但「錢」卻日益集中在少數人之手，國家
之間也是如此，富者越富而貧者越貧。掌握了錢，在很多
情況下也就掌握了媒體及權力，而掌握了媒體和權力，又
更容易得到金錢，惡性循環的結果，就是財富分配極度不
均，讓民主社會「民有、民治、民享」的崇高理想，變質
成「錢有、錢治、錢享」的不公義社會，幸福快樂當然遠
離，不論是高度發達的美、日，或是開發中的菲律賓、印
度、印尼等，皆是如此。

財富集中只有惡果

　　凡上過大一經濟學的都學過「效用遞減」，在社會學
則稱之為「福祉遞減」。意思是每增加一個單位的財富，
所增加的效用（福祉）卻逐漸減少。因此郭台銘多一萬
元、少一萬元，完全無感，但對一家四口人吃一碗泡麵的
家庭，一萬元則是用途大矣。因此同等金額的財富，若集
中於少數人，帶給這群人的效用（福祉）會降至最低，若
是公平分配給每個人，則效用（福祉）最高。

　　美國近20年的經濟成長果實，都被1％的富人拿走，
使得40％的基層家庭比以往更窮。台灣也是如此，經濟

成長幅度比不上所得分配的惡化，結果是國家財富雖然增加，財富所帶來的效用或福祉反而減少，民眾更不幸福了。這就是為什麼2010年台灣經濟從2009年金融海嘯反轉，馬總統得意地大談成長率達到8%以上時，得到的卻是普羅大眾的噓聲，原因很簡單，近10年來勞工生產不斷上升，但勞動者所得反退回15年以前，經濟成長的果實都被少數人搜刮走了。

相反的，只要分配做得好，即使經濟低成長或不成長，也能改善財富的總體效用，社會福祉一樣可以增加。所以要使人民幸福快樂，平權之外，如何「均富」，更是重要課題。

不僅如此，財富集中還會讓一般大眾陷入均貧，無力消費，結果就是生產過剩，經濟衰退，形成另一個惡性循環。一國之內如此，國與國間亦是如此。

還有，有錢人家的子弟享有豐富資源，只要不是太笨、太壞，躋身上流階級輕而易舉。相反的，貧窮人家子弟缺乏好的資源、機會、人脈，就算付出加倍努力，也很不容易突破困境。此問題在台灣已經顯現，只要分析一下台、清、交這幾個頂尖大學學生的家庭背景，就知所言不假。

近15年來台灣最高及最低20%家庭年所得，從四倍擴大至六倍以上，最高及最低5%為66倍。這只是年所得，若論及資產，則倍數更為驚人。

此66倍差距的意義是，貧者50元便當，富者3,300元

的頂級牛排餐；貧者5萬機車，富者330萬雙B轎車；貧者子弟打工賺學費，富二代酒後駕千萬名車帶美眉撞電線桿。階級固著，貧窮在代間遺傳，人才無法流動及發揮，反影響經濟發展，導致社會M型化，不公不義再添一樁。

新自由主義放任錢、權、媒結合，欺壓弱勢

美國雷根總統及英國柴契爾夫人的新自由主義，其實與古典資本主義大同小異，聰明才智過人、努力不懈、多勞多得、天經地義。共產主義強制平均分配，企圖提高財富的效用，但因為違反人性，反而導致均貧；且為了強制平均分配，需強力政治介入，因此共產主義必然為獨裁政體，人權與自由盡失。

多勞多得固然理所當然，因少勞少得而陷入貧困，也無話可說；但少勞多得或不勞多得，都不符合公義原則，還會造成一般民眾的相對剝奪感，又該拿它如何？所以資本主義的自由放任絕非良策，資本主義國家政府介入越少，少勞多得或不勞多得的情況就越嚴重。

就如馬克斯所言，資本家掌握了生產工具及通路，勞動者嚴重被剝削，此種例子比比皆是。例如蔗農被迫只能以僅夠餬口的價格，將甘蔗原料賣給糖廠，因此不管國際糖價如何高漲，都與蔗農收入無關（日本殖民台灣時，官商壓榨蔗農，累積南進資本；光復後，國民政府用同樣手法獲取厚利，除用以維持龐大軍力，鞏固在台政權外，

終能辦理國民教育及公共衛生，算是好事一件）。一杯Starbucks咖啡3、5元美金，但咖啡農只能得到幾分錢；象牙海岸剝取可可果實的勞工，辛勞一生至死，從未吃過一口巧克力。

理論上，市場決定價格，包括勞動價格，但這種理想狀況需要很多條件配合，實際情況常不是如此，而是被商、政、媒聯手操弄。

全球化和知識經濟推波助瀾

全球化的目的，是要打破或減少貿易障礙，讓各國的貨物、資本、人才（人力資本）自由流動，讓最有效能的生產者，製造耗費資源最少、價格最低、品質最好的產品行銷全球；沒有效能的就被淘汰。從全球的觀點，全球化能提升人類整體的生產效率及福祉，具體措施就是在WTO的架構下，減少關稅等貿易障礙。

然而如此一來，政府原本以關稅及各種規定保護國內產業的功能弱化，也不再能抽取關稅以補助弱勢。以台灣為例，在各國低關稅下，3C產品暢銷全球，但同時，台灣對他國傳統產業及農產品的進口關稅也必需大幅降低，導致國內相關產業無法與之競爭，又因政府抽取關稅金額減少，沒有經費支援弱勢的勞工及農民，他們必然陷入困境。

所以那些因全球化獲得高利的產業廠商，理應合理

付稅，轉移給弱勢的勞工，因為他們的成功，是犧牲了保護弱勢者的關稅換來的。在全球化的自由主義及知識經濟下，高福利、高稅賦的北歐諸國如何抵擋？是否也是富人出走？政策如何維持？則是高度值得觀察者。

民主制度已有心無力

美國是公認較為成熟的民主國家，有近250年的歷史，社會多元、學術發達，但其市場失靈、政府失能、民主岌岌可危。商、媒、政結合，加上知識經濟及全球化推波助瀾，即使民主黨執政，即使99％對抗1％，也無法撼動半分。

台灣的民主成熟度距美國甚遠，父死子繼、兄終弟及、夫唱婦隨（一個坐牢，親屬代為出征當選），是標準的家族及財閥政治。我們不只合理懷疑，甚至可以確定台灣商、媒、政的結合比美國更嚴重。

陳東升在1995就出版了《金權城市的土地邏輯與批判》，揭露財團與政客勾結，大炒地皮房產，謀取不當暴利的內幕，一時洛陽紙貴，引爆無殼蝸牛抗爭。如今24年過去了，問題只有更加嚴重。最喜以「愛台」為標榜的某報業大亨，即是以各種不當手段炒房地產暴富的財團大戶，是財、媒、政結合的「最佳範例」。台北市財政局長承認，2億元的豪宅每年只要交4萬元的房屋稅及地價稅；炒房賺了200萬，只需以36萬申報綜合所得稅，但勞動者

的薪資所得卻一毛也少不了。

全球化及知識經濟不可擋，有權者不但不思變革以為因應，還不斷降富人的稅，相對加重受薪階級的負擔。富人的收入係以資本利得為主，在政商勾結下，不斷降稅及免稅，正如《天下雜誌》2012年9月第506期封面故事所述，台灣已成為富人避稅的天堂。另一方面財團不論合法或非法，套利從不手軟，就算東窗事發，挾十數百億遠走他國，一樣豪宅美女夜夜笙歌，政府卻莫可奈何。而勞工的勞動價值卻不斷被貶抑，及相對被抽重稅。

前行政院院長江宜樺要普羅大眾「貧而樂道」，然而台灣過去15年勞工的勞動生產力不斷提升，薪資卻不斷下降，再看看鄰近的韓國，薪資成長是大於生產力的提升，叫台灣勞工情何以堪？台灣貧的原因是政府錯誤的財經政策及財團剝削所致，孔老夫子若地下有知，真不知對江院長的「安貧樂道」會做何回應。

因此可以斷言，自李登輝總統以後的四任總統及財經內閣，全部不及格。財政及經濟委員會的立委，絕大多數本身就是財閥，不然就是財閥的代言人。國民黨早已遠離三民主義，改為信仰「錢有、錢治、錢享」，但每次中常會歷任黨主席均要默念〈國父遺囑〉，真是個笑話；而民進黨執政時期，熱烈擁抱財團，與黨綱背道而馳，和國民黨一個半斤一個八兩，台灣焉能不向下沉淪？

政府曾召開兩次全國稅改會議，但在財團運作下，立法院財委會及財政部對結論束之高閣，一無作為；中研

院、台經院怠忽職守，所有研究都集中在產業如何致富，卻忽略經濟學中「分配」這個重大議題。馬政府雖嘗試解決軍公教退休金及勞保年金不公不義的情況，以及實施房地產實價登錄（實價徵收仍遙遙無期），但改革還是太少、太慢，對改善貧富差距效果有限，於事無補。

健保防貧機制，岌岌可危

不論聯合國或美國的實證資料，均顯示致貧或家庭破產的首要原因，是家人生重病而沒有健康保險。全民健保在台灣受到高度支持，底層20％的民眾，每付1元健保費，可以得到5.2元的健保醫療（付的保費低，但就醫品質和一般民眾無甚差異）。

台灣健保負擔及就醫公平性，被全世界公認數一數二，但真正的「奇蹟」，是在極右的國家，居然實施一個偏左的醫療制度（而且是唯一的一個），是台灣防貧的最重要機制。可惜此制度因人口急速老化，費用將快速上升（每增加一個老人，健保每年要增加7萬元支出），但承擔財務的青壯年大幅減少，醫療自負額已超過40％，基層民眾就醫日益困難。

二代健保中，立法院衛環委員會原本通過依家戶總所得計算健保費，財委會委員及財政部官員，在衛環委員會十餘次公聽會及逐條審查中，從未表示意見，卻因此法不利於富人，在法案通過前數日驟然推翻原案，改為更為不

公、行政更為複雜，且收不到應有保費的補充保險費。如此一來，最多五年，健保就將面臨財務危機，因病而貧又將在台灣發生。

共產制度更是改革無望

在大三通之前，我曾受大陸某大醫院邀請前往演講，晚宴時，主人「曉以民族大義」，大談三通與統一的大道理。為避免陳腔濫調貫耳，就回了一句：「個人非常贊同三通及統一，且越快越好。」主人大樂，但我補了一句「先到延安去」，主人不解，問為何要到延安去，我回說：「再革命。因觀察大陸當前貧富差距，與國民黨時期恐有過之而無不及，因此要統一，恐需到延安去從事再革命。」於是主人一言不發，主客悶頭吃飯，草草結束，也是趣事一件。

大陸貧富差距基尼指數高達0.6（財富完全集中在一人，基尼指數為1，完全平均分配則為0，北歐國家多在0.25左右），早已超過一般學者認為的警戒線0.4，在世界上數一數二，只次於南非。雖中共當局近年以鉅資投入社會保障，但情況只有惡化，而不見好轉。自認為是社會主義的國家，貧富差距卻如此之大，長此以往，革命似不可免。

大陸學界與不少知識份子期待政治體制改革，實施民主制度，但如同前文所說，民主並非萬靈丹，除非中共

政權趁著大權仍在握之時，能大幅消除權錢政治及改革稅制，否則即使民主化，結果依然是錢、權、媒體結合，貧富差距只會更加嚴重，不會改善。就如同印度、菲律賓或印尼的民主，廣大民眾仍不能免除貧窮、飢餓、無知、疾病及恐懼的自由。

總之，不論是以美國為首的資本主義民主國家，還是實施共產主義的中國，由於對商、媒、政的結合都無力改革，勞動價值不斷被貶抑，貧富差距不斷加大，貧窮者不再認為是自己努力不夠（self-blame），而是政經結構的問題（structure blame），99％對1％的鬥爭勢必出現，不是野心家藉此興起，如二戰前的德國，就是馬克斯的陰魂必將再現。

2010年末，北非與中東已掀起了茉莉花革命的浪潮，並迅速蔓延到包括美國華爾街在內的世界各地。廣大的弱勢群眾已對這個不公義的社會失去耐性，結果如何，且讓我們拭目以待。

5

民主的壞示範

台灣追求自由民主的腳步從未停歇，
然而目前政府近乎失能，
莫非華人真的不適合西方民主制度？

　　台灣追求自由民主的腳步從未停歇，從1949年雷震等創辦《自由中國》，1968年自由派學者創辦《大學雜誌》，至1975年的《台灣政論》，1980年代的《八十年代》與《美麗島》等雜誌，這些民主鬥士身歷白色恐怖，坐牢的坐牢，拋家棄子的拋家棄子，不斷鼓吹民主自由。乃至1987年蔣經國宣布解嚴，開放報禁、黨禁，民進黨成立，又至1990年野百合運動，結束動員戡亂臨時條款及萬年國會，民意代表及總統定期全面直接民選，台灣民主化似乎已經完成。

曾經，台灣是所有華人的冀望

然而直接公民選舉的民主國家，如印度、泰國、菲律賓、馬來西亞、印尼等，其廣大人民並未因民主自由而能免除貧窮、無知、飢餓、恐懼及疾病的自由。

一些學者認為這些開發中國家，由於經濟不夠發達，教育不夠普及，因此民主運作不能落實，而認為台灣將是近代第一個從威權邁向西方式健全民主的亞洲國家。特別是政治學界多年的爭論—華人無法建立現代民主國家的迷思，將由台灣打破。台灣是所有華人的冀望，台灣的民主運動及選舉，是眾多華人，特別是中國民主人士所稱羨者。

然而，目前情況似乎有所改變。藍綠惡鬥，民粹當道，導至近年來政府幾乎完全失能，行政部門一團亂，對食安、環境破壞、工業汙染、經濟倒退、財政瀕臨破產、退撫及勞退改革無門，教育改革滯後等問題，幾乎無從應對。

立法機構更是荒謬，為少數人把持，密室協商、關說盛行，多數委員反而晾在一旁；法案及預算審查之怠惰，已到天怒人怨。司法方面，關說案爆發後才知檢察官知法犯法，玩弄司法於股掌之間；受賄以數千萬計的檢察官，卻是考績甲等且「足為楷模」；更有法官貪腐到令人咋舌而主管卻多年一無所知；又有若干恐龍法官判案如還在石器時代。監察院亦是荒腔走板，不再贅言。

兩黨「天王們」，將把台灣帶往何處？

　　行政、立法、司法、監察幾乎全部停擺，五院只剩考試院還勉強正常運作。至目前看來，真是應了美國政治學泰斗杭廷頓（Samuel Huntington）所言，台灣的民主化是「腐敗的民主」；也似乎驗證某些政治學者倡言，華人不適合西方民主制度的說法。國人當然不會服氣，然而形勢比人強，說句長他人志氣，滅自己威風的話，台灣民主制度選出的這四任領導人，有比大陸專制體制下產生的近三任領導人更優秀嗎？照目前方向走下去，這兩黨的「天王們」，會讓台灣的明天更好嗎？

　　原本不知有多少大陸民主人士與自由派學者，羨慕台灣的民主制度，然而近期若有機會與中國學界交流，當可以發現自由民主仍是他們追求的「長期」目標，但倡言民主制度在可見未來不適合中國的人越來越多，「維穩」逐漸成為共識。

　　在此氛圍下，難怪「知台」的習近平所提出的改革是「經濟更右」而「政治更左」。有些人認為中國的民主化與台灣無關，然而面對一個經濟、軍事日益強大，但政治更獨裁，又以統一台灣為職志的中國，台灣難道不危矣？台灣若不能真正落實民主制度，樹立典範，並協助中國民主化，怎能有可長可久的未來？

6

政治毒癮不除，台灣必亡

在黨、政、媒、學全面投放小確幸毒品下，
台灣已成鬼島，
只有當下，沒有明天。

　　金榜題名，需要十年寒窗；富甲一方，如郭台銘、王永慶、張忠謀，無不是日夜操勞；要選個縣市長或立委，也要手握到發麻、喊到嗓啞，走到腳痠，花多少心思，才能將選票騙到手；即使是登高望遠的小確幸，也要用汗水去換取。

　　有沒有不必汗水辛勞就能享樂、飄入仙境？不必勞心勞力就能弄進大把鈔票的事？當然有，一是吸毒、一是貪汙。然而吸毒者，只要一沾上（如嗎啡、海洛因），除非以無比的毅力加上宗教的協助，很難戒除。坐牢事小，可

怕的是家破人亡，一輩子淪落在苦海中不得超脫。貪汙固然鈔票來得快，但東窗事發，多少政客因此身敗名裂，蹲苦牢，與吸毒者同樣，常需用一輩子的痛苦，去換取一時的歡愉。

一個問了30年的問題

以之觀察台灣的政治及社會，正如深深陷入毒癮之中。台灣自從解嚴以來，自以為民主了、自由了，但20年過去，在政客、媒體、無良的學者專家操弄下，餵食全民毒品（小確幸），幾乎導致永世無法戒除。

現舉數例。有一個我問了30年的問題：「勞保費率高些好，還是低些好？」包括訪問我的衛生記者，我的碩、博士生及一般民眾的回答，一律是低比較好（可以少交保費）。少交錢是感性的（舉選），但從理性的思考（治國），卻會使全國勞工吃了大虧。因為勞保費收入百分之百屬於勞工（以退休給付為主），早年勞保費率的負擔，勞：資是3：7，目前勞：資：政是3：6：1，勞保不依精算費率收取保費，費率過低的結果，勞工得到的勞保給付減少了，最爽的是雇主，可以逃脫應承擔的六成勞保責任，累積了龐大財富，而勞保卻是潛在債務達9.1兆，再六年就要破產。

當年國民黨（後來的民進黨也不遺餘力追隨）的勞工「利委」，一再壓低費率，他們好像是雇主養的；學者專家

呢？中研院的院士們呢？媒體呢？大家不妨查一下當年的報紙，只要稍微調高費率，新聞標題必然是「勞保提高費率，每月多負擔XX元，○○○萬勞工受害」。

若要勞保不倒，這9.1兆的債務，必然由政府稅收支應，到頭來還是乖乖繳稅的廣大勞工負擔（財團早就把錢移到國外）。蔡政府說每年要編200億補勞保基金，9.1兆要補多少年？勞動部官員拍胸說「勞保一定不會倒」，但倒的時候他及蔡政府早就換人了。以前不就這樣嗎？扁政府說問題是前朝留下來的，硬是油電不漲（除產油國家，全世界台灣油、電、水最便宜），馬政府撐不住，只好大漲到丟失政權。現在要選舉了，台電加上核四，虧損已超過一個資本額，未來仍是全民負擔，用油、用電多的人，被補助最多，難怪貧富一再加大。

不排富，福利一定倒

再舉一例。9合1選舉時，某陣營來電，邀請我這位前朝的小咖政務官一起亮相，以示支持。本人回他，應將「老人免健保費」的公車宣導下架，否則本人不出席，結果不想也知。現在各政客都要餵食「老人免健保費」的嗎啡，但是台灣再不到10年，就20%以上是老人，用健保費的人多，能提供照護的人少，健保一定倒，至少會增加部分負擔，減少醫療項目，所以免健保費早就該排富（目前對中、低收入戶等，早有相關辦法），讓劣勢民眾享受健

保的時間能盡量延續。然而各縣市長都在開老人免健保費的毒藥，若真能執政8年，第7、8年能負擔嗎？還是要縮減教育經費、學童午餐、育兒津貼？

其他對全民餵食毒品的政策可多了，如老人公車免票，捷運、高鐵半價，若要這些公共交通不倒，那全票必需大漲，或政府要補貼，還不是全民買單？這就是為什麼日本地鐵、公車等沒有老人半價免票這回事，但全力維護合理的老人年金制度。

台大都不台大了

另一項毒癮就是各縣市長、立委民代，要求每縣市設一所台灣大學（國立大學）、一家台大醫院（醫學中心）。但是資源是有限的，這麼多國立大學瓜分的結果，台灣大學早已不成台灣大學，世界排名不斷落後。還好各設一家台大醫院被擋住了，改以各醫療區設立急重症責任醫院，否則台大醫院也不成台大醫院了。

最可笑的是蘇院長豪氣干雲，如老共打來，就算戰到只剩掃把也要抗敵，但就是不敢說要恢復徵兵。政客們吵的是台灣需要撐幾天，就可等到老美出兵相助，但台灣人都不設法自保，老美怎會為台犧牲？我曾經提議，台灣人平均餘命已超過80歲，男性應為國家至少服兵役一年，女性活得更長，應服一年社會役，協助照顧小孩及失能長者，他日有需求則由別人協助你，馬上被女性朋友罵到臭

頭。

　　台灣是最不結婚及生育的國家，平均每名婦女只生育一名子女，人口每一代就減半。談到單身多交稅以支持家庭，也是單身族群集體開罵，但說多給家庭補助則又欣然贊成。實則多補助給家庭，單身相對負擔就重了，兩事難道不是同一件事？大家都做頂客族，爽！但老了要不要健保及長照的照顧？今天不出錢又不肯出力，要不要簽一個「老了不就醫，不接受長照」的切結書？

政府出錢，就是你我出錢

　　民眾是否均為民粹不理性呢？2009年健保虧空600億，每年將不斷以百億以上累加。當時我擔任衛生署長，大可繼續如前幾任，向銀行借錢，反正未來又不要我賠，何必挨罵調費率？但我花了半年向社會各界一再說明，調高後，當年健保滿意度達到最高，至今財務尚稱穩定。因此只要給予充份資料，民眾仍是理性的。

　　可惜的是學界，8,800億合不合理？蔡總統說台灣經濟指標20年來最好，但沒說20年來貧富差距最大、僑外投資最低。對此，中研院及各大學者有評估及提供諍言嗎？還是全被研究計劃收買了？

　　全台在黨、政、媒、學全面投放小確幸毒品下，一切政府出錢，不問錢從哪裡來？花到哪裡去？有成效嗎？所有的福利、補助、服務全都要，一切政府出錢，卻忘了政

府出錢就是大家出錢，但真要我出錢出力，萬千個理由，找別人吧！台灣鬼島，只有當下，沒有明天，國力每況愈下，如何戒毒？民眾要自我提升防毒意識，唾棄下毒的政客、媒體，不要再成為英國機構調查下，世界最無知國家的第三名。

7

台灣的希望在哪裡？

台灣是一個對家庭極不友善的國家，

以致每過一代人口腰斬一半，

如何有前景可言？

　　台灣社會在過去一段時間，特別是2000年以後，發生劇烈的變化，也就是嚴重的不婚、不育、不養、不活，多數年輕人感到前景茫然（社會的「四不一沒有」），其影響甚為深遠，但很少得到人們的關注，特別是政治人物。長此以往，不出20年，台灣將成為一個完全沒有希望的國家。

　　台灣自從2000年以後，有偶率節節下降，婦女20-24歲未婚者94%，25-29歲有71%，30-34歲未婚者尚有44%。女性如此，男性更為嚴重，是全球有偶率最低的國

家，且持續下降。連帶著，每年生育人數從2000年的約30萬人，到2010年幾乎腰斬為16萬人。總生育率，即每名婦女一生的平均生育數降到0.98，也是當今世界最低（每位婦女需生育2.1個小孩，人口才能長期維持平衡）。

還有棄兒、棄嬰、虐兒事件層出不窮。而自殺死亡人數從2000年的2,000餘人，到2006年暴增一倍以上，多達4,400餘人，2010年雖降至3,800餘人，仍比2000年時多出許多。

友善家庭，才有未來

綜觀人類歷史，從未有一個社會，沒有戰爭，沒有重大傳染病，沒有饑荒及經濟大恐慌，但在如此短時間內，經歷前所未有的社會解組與惡性變遷。

婚姻是對另一半的承諾（commitment），生育子女是對下一代的承諾，而「好活」則是對自己生命的承諾。但當今很多人不願做出承諾，甚至連男女朋友也不交了，因為只要被認為是一對，也算是一種承諾，若是劈腿就會受到責難，因此乾脆一夜情算了。

總而言之，台灣除政客外，已成為一個不願承諾的社會（但政客的承諾，又沒人相信），也是一個沒有前景的社會，自己過完一生就完了的社會。

其原因簡而言之，就是台灣是一個對家庭極不友善的國家。瑞典、挪威、丹麥、法國、英國等先進國家，總生

育率都在二個左右，扶養一個子女至24歲的教育經費，只占個人私有財富的10%或以下（瑞典為3.1%，法國為5.0%）。但據統計，在台灣需支出私有財富的66%，才能讓一個子女大學畢業，是全世界最高的。一個子女就讀私立大學，每年學費需10萬，加上食宿，至少共15萬，對於台灣月入5-6萬的一般家庭，負擔何其沉重？但這些對豪門而言都不是問題，非但鼓勵婚姻，且以多子多孫得以繼承光耀家業為傲。

　　當然，國家要對家庭友善，就需承擔高的稅賦，也就是大家相互扶持，互相「出資」扶養下一代。如同健保，大家出錢給重病的國人就醫。然而台灣卻是所有進步國家中，稅賦最低的國家，占GDP的13%不到，是韓國的1/2，美、日的1/2.5，北歐國家的1/3。

追求財政平衡的最佳時機

　　稅賦過低之外，另一個問題是稅制不公，不斷調降富人稅，使得經濟成長的果實均為富人享有，財政支出卻大部分由受薪階級負擔。過去十餘年台灣經濟成長不差，但受薪階級、勞動者的待遇卻沒有增加，不論政府再怎麼強調經濟成長的數字，民眾就是無感。特別是年輕就業族群實質收入下降，前景茫然，如何結婚生子？

　　台灣目前人口結構是紡錘型，依賴指數僅為36，是台灣歷年來最低（1963年為92），也是全球最低的。美國為

49，日本因老人多，為55（15歲以下及65歲以上為依賴人口，15歲至65歲為生產人口，「依賴指數」指依賴人口占生產人口的百分比，為國際通用的指標）。亦即台灣目前正處在生之者眾，食之者寡的狀態，是國家追求財政平衡的最佳時機。

然而不管是哪一黨主政，均無意利用此時的人口結構優勢，積極追求政府財政平衡，反而為了收買選票，繼續增加公債以支應照顧弱勢的支出。目前政府每年均發行2,000億以上的公債，中央政府累計負債已超過5兆，是三年多的中央政府總預算。另勞保基金等潛在負債高達10兆以上，這都要未來的人負擔，嚴重債留子孫，非常不符合世代正義。

再加上生育率大幅下降，老人比例快速增加，20年後，凡目前50歲以下的民眾，就會面臨食之者眾，生之者寡，龐大國債，所有社會福利全無的苦難生活（因目前平均壽命男75歲，女82歲）。例如龐大的老人族群無人奉養；眾多單人戶，任何變故均需社會支助，但國家卻負債累累無能為力。

政府廉能、稅制公平是根本

台灣以民主自傲，但民主不代表可以免除飢餓、貧窮、恐懼、疾病、無知的自由。以第一強國美國為例，非但仍不能免除疾病的自由（因尚未落實全民健保）且常生

中華民國如何不亡!?

活在恐懼之中，否則不用「反恐」，而且若干地區治安奇差，連首都市內都是如此。另外如印度、菲律賓、泰國、印尼也都是民主國家，但很多民眾的生活都很艱難。只有北歐若干國家在民主下，大致享有各項自由。

何以民主卻不能獲得自由？因為錢、權、媒體結合日深，民粹當道，惡性循環難以解脫。台灣要解除向下沉淪的困境，首要是達到年度財政收支平衡，合理公平加稅，但對勞動所得的薪資應予更多減免。可考慮對擁有一定金額或面積的房地產增收資產稅，增加偏低的消費稅，檢討實施過久的獎勵投資條例。

當然政府廉能是根本，否則交的稅都被污掉，民眾必然抗稅。若稅收恢復到民國70年代占GDP20%，雖仍不及韓國，但每年國家可增1兆收入，照顧及友善家庭綽綽有餘，且可對教育及健康投資更多。

台灣民眾未來是否能過著健康快樂的生活，答案可能是非常悲觀的，因為每個黨心中只有選票，沒有民眾，也沒有未來。但人們沒有悲觀的權利，特別是知危者，不可不發聲。

8

有願望沒實力，無用！

> 只有自主意識，沒有自主力量，
> 當形勢比人強時，
> 只有任人宰割的份。

　　1683年7月，明朝水師叛將施琅攻佔澎湖，9月鄭克塽納降，結束鄭氏王朝，施琅也報了遭鄭成功誅殺全家之仇。鄭克塽投降後沒能當「台灣特首」，被移置北京為海澄公，吃飽等死，37歲卒。

　　就如同滅明者，並非李自成叛亂或滿人闖關，而是崇禎皇帝的昏聵；明鄭之亡，也是亡於自身之亂。鄭成功據台後，台灣已是不折不扣的獨立國家，當時西方國家，如英國的東印度公司與鄭氏簽約，均稱鄭經為「King」，各方來使均稱鄭氏為「Majesty」（陛下）。然而鄭成功之後，

不論鄭經或鄭克塽的接續，都經過一番腥風血雨、慘烈鬥爭、嚴重內耗。當時在台的民眾以漢人及原住民為主，當然不願淪為滿清子民，但就如割讓台灣給日本時，台灣人民又如何願意被日本人殖民？但形勢比人強，又復何言。

滅明者，自身也；滅台者，何人？

對照歷史殷鑑，反觀台灣現況，相似性之高令人心驚。台灣近20年來，不論政治、經濟及社會，每況愈下，落入惡性循環，而海峽對岸不但沒如李登輝前總統預言，走上分崩離析之途，反更為強大。台灣曾經輝煌過，60年代起，經濟、社會、文化（僅只流行音樂及校園歌曲就橫掃全球華人世界）、嚴酷的政治也不斷解凍，台灣社會蒸蒸日上，相對文革敗破的中國，台灣顯得更為壯大。

不就是十幾年前嗎？一般台灣人在面對中國人、香港人、韓國人，甚至新加坡人，即使沒有高人一等的優越感，至少自認平起平坐。而今天呢？這些國家地區在很多面向都早已超越台灣，或正在超越台灣。

不少台灣人不喜歡大陸人，認為大陸人沒品、粗魯、教養不如台灣人，但不論台灣南北，高興也好、委屈也好、憤怒也好，不都是在接待大陸客？嫌人家黑心食品多，有地溝油，但我們的餿水油、飼料油、銅葉綠素油、沒有花生的花生油等等，何嘗多讓？他們有橡皮圖章的人大、政協，我們的立法院被國際評比為全球最爛的國會之

一，又有比較高明嗎？再說句長他人志氣、滅自己威風的話，我們以民主票選出來的最近四位總統，李登輝、陳水扁、馬英九、蔡英文，有比大陸的江澤民、胡錦濤、習近平表現更優嗎？國際上看法恐是正好相反。

總而言之，對方越來越強大，我方越來越不堪。

不改革，只能失掉國家

美國為自己利益背叛盟友，史跡斑斑，國民黨在大陸及台美斷交就有二次被拋棄的經驗。若未來因某種情勢，美國有求於中共，而公開宣稱台灣是中華人民共和國的一部分，中國派兵進駐台灣，台灣將如何自處？大家拿起掃把奮勇抗敵？還是效法當年辜顯榮開台北城歡迎日軍進城？

現今兩黨政治人物及各大財團，無不親往北京，絡繹於途，也沒少掉哪一位；就是目前不宜者，也至少多次派代表前往「溝通」，甚至派人長期駐北京。雖然絕大部份台灣居民不願做中華人民共和國的子民，但屆時形勢比人強，爭相爭取特首及籌安會委員大位，也不令人意外。

台灣不斷惡性循環，藍綠惡鬥，內鬥內行，立委濫權、立院空轉、媒體八卦、官不聊生、施政無方、官商勾結、廠商黑心、民粹買票、國庫空虛、貧富加大、階級對立，民眾不婚、不育、不養、不活，教改失敗、青年人沒有前景，因此大家養成隨人顧性命，目光如豆，只管今

朝，何論明晚的性格。

　　況且財團已掌握立委及媒體，誰想改變、想加稅，特別是加炒房、炒股者的稅，誰就會下台。每個人都想從台灣這個母親多吸一口乳，但沒人願餵我們的母親一口飯。任何改革環環相扣，發動改革每易失掉政權，但不改革，國家將不斷沉淪，最終只能失掉國家。

面對外患，實力才是真的

　　再說一段歷史。中日甲午戰爭，清廷戰敗，台灣割讓給日本，台灣人民激憤，仕紳丘逢甲、陳季同與當時台灣巡撫唐景崧，籌劃「台灣民主國」對抗日軍，於1895年5月23日發表獨立宣言，5月25日唐景崧就任總統。但就職10天後，唐景崧就以視察前線的名義，從淡水搭乘德國商輪逃到廈門，被戲稱是「十日總統」。唐景崧潛逃後，民主國的大將軍、中法戰爭中的名將劉永福力抗日軍，但10月19日因兵敗逃離台灣，臺灣民主國正式滅亡。

　　「台灣民主國」是亞洲第一個民主共和國，但自宣布建國到亡國，前後只有150天。這說明只有自主意識，但沒自主力量，當形勢比人強時，仍只有任人宰割的份。換句話說，「有願望但沒實力」，一點用都沒有。

　　中國從古以來就是非常強大的國家，一直到清朝乾隆時期，中國都是全世界最富強的國家，其GDP曾經占全球的一半。而中國自古以來也一直有「一統天下」的中國

夢，只要有機會，永遠不會放棄「大國崛起」的夢想。這是歷來中國領導人及知識份子根深柢固的觀念，所以以前皇帝們不斷攻打、收服邊疆民族，現在中國大陸對新疆、西藏、台灣及釣魚台等，都是一付「這是我家的」的態度。尤其中國在清朝時由極盛到極衰，歷經一段備受他國欺壓的屈辱過往，導致對岸現在對重振大中國聲勢，更是執著非常。

在這樣的態勢下，如果我們沒有把對岸的心態納入考量，自己關起門來說台灣要長久保有自主性，不只不切實際，挑戰也艱鉅。尤其當形勢比人強時，有願望沒實力，如何堅持願望、實現願望？所以，台灣除了本身政治經濟社會一團亂的「內憂」，還要面對對岸這個「外患」，更必須自立自強、振衰起敝，以堅拒歷史重演。

9

相對剝奪感，如何能不怨？

底層的人如何努力也翻不了身的時候，
一定會找尋一個出口，
寧可犯罪，也不服從。

　　西方在解釋社會運動甚至革命發生的原因時，「相對剝奪感」是很重要的理論之一。所謂「相對剝奪感」簡單來說，就是個人根據自己的教育水準、知識能力、工作努力、家世條件等等，會期望得到一定的社會地位及收入，如果期望高而實際得到的水準低，就會產生不安、不滿、挫折等心理。期望與實際所得差距愈大，相對剝奪感就愈強。相反的，如果實際所得高於期望，或二者接近，就會有幸福感。

期望與實際有落差

　　產生相對剝奪感的原因，不外乎三種情況：第一，個人的期望沒變，但原先擁有的卻減少了，比如高學歷的派遣工拚死拚活只得20幾K；退休金的18%優惠利率突然被取消；或是遭遇到經濟大恐慌、財務發生危機等等。

　　第二種，能力沒有提升，期望卻增加了，比如開發中國家的人民本來安分守己的過日子，但因為資訊的透明、開放，讓他們知道先進國家的人民，也沒有更努力或更優秀，過得卻比較好，就會對現狀產生不滿。

　　第三種，能力雖有提升，但不多，而期望卻大幅且快速的增加，比如台灣解嚴初期，人民對參與政治、表達意見的期望大幅增加，但體制卻無法轉變得那麼快，於是出現了野百合學運，主張國會要全面改選等等。

　　造成這種期望與實際有落差的原因，如果個人自認為是能力不足、努力不夠，就會自我期許，提升能力及加倍努力。就像諾貝爾經濟學獎得主沙金特博士（Thomas J. Sargent）說的：「勤奮、努力，就是成功的要素。」相信不少人在面對郭台銘或王永慶時，都會有這樣的想法。

根本問題出在社會結構

　　但在某些情況下，相對剝奪感不是個人能力的問題，而是社會結構所造成的。社會階級固化、貧富差距大、機

會不均等，底層的人照著上層人訂定的遊戲規則，卻再怎麼努力也翻不了身的時候，就非常危險了。有相對剝奪感的人聚在一起，一定會找尋一個出口，因而產生了種種社會運動，甚至激化成暴力行動，因為所有的抱怨、憤怒、不滿，都可以讓這些人合理化自己的行為，寧可犯罪，也不服從。

台灣目前的情況就是如此。舉個最簡單的例子，現在年輕人的學歷普遍提高了，但薪資卻比以前少；和其他國家比一比，他們很多工作沒有比較高階、工作時間沒有比較長，但薪水卻是台灣的好幾倍，這顯然是台灣的社會結構出了問題，年輕人如何能不產生相對剝奪感？當有嚴重相對剝奪感的人愈來愈多，資訊的傳遞越來越方便快速，糾眾「路過」就愈來愈輕而易舉，任何一個小項目、小事件，都可能成為爆發口，噴發出殺傷力強大的沸騰民怨。

這個道理很簡單，唯獨政府一直搞不懂，所有的政策仍在偏袒富人，貶抑勞動價值，繼續強化這個不合理的社會結構；等出了問題，又到處撲火滅火，頭痛醫頭，結果醫出了滿頭包、狼狽不堪。根本問題出在社會結構，不針對改變社會結構施政，任何作為都不可能得到民眾支持。

10

夠多了，別再建「紀念碑」

> 兩個爛黨輪流執政蓋蚊子館，
> 不斷弱化台灣，
> 好像共同努力促進中國對台灣的統一大業。

自從總統直選後，兩黨輪流執政，為了彰顯豐功偉業，大量興建公共工程，其中不少成為閒置工程，是不折不扣的「紀念碑」。

浪費公帑，以兆計

藝術家姚瑞中自2010年出版第一本《海市蜃樓：台灣閒置公共設施抽樣踏查》之後，至今居然已經出到了《海市蜃樓VI》（2018）。這些蚊子館耗費納稅人的辛苦錢，數

字是以兆計。例如沒有停過幾次飛機的屏東機場、墾丁機場；無數的停車場（塔）、文化中心；招生困難的一縣市一國立大學，且排擠了私校的生存。最厲害的是蓋了一個4,000億，可能是人類史上最貴的紀念碑「核四廠」，就是地下會冒出鈔票的阿拉伯國家，也沒有這麼大的手筆，早就該列為觀光景點，讓各國人士引以為戒。

再說機場捷運吧！費時20年不說（這段期間，「敵方」早就完成了全國性的高鐵網），動線差、價錢貴、速度慢，唯一優點是一定有座位，因為少人搭乘。若要從台北車站走到機捷站，感覺有如遠在天邊，如果是高齡者，又帶著行李，少不了有人心臟病發。我曾請教賀陳旦前部長，自己走過沒有，回答當然是「沒有」；問加幾部電瓶車接駁如何，他回答「將來會有」（通車時就該設置，收費也可以），這就是我們的決策、計劃及施工品質。

蚊子館是系統性問題

蓋了這麼多蚊子工程，有哪位當時的主政者坐牢或因此下台？答案是一個也沒有，連一聲道歉也沒有；監察院有辦過一個像樣的案子嗎？乾脆廢了吧！

最有趣的是，為了遮掩政府的腐敗無能，又再另編一筆龐大預算「活化閒置公共工程」。一件工程，老百姓交二次稅，反正給張選票，就說是「民主」了，騙死你們這些笨百姓。

2017年的前瞻計劃，地方諸侯、民意代表共同分贓、綁樁騙選票，較以往更加赤裸裸。如果真要前瞻，就算是找專家學者、地方人士嚴謹的研議一、兩年也不為遲。當年全民健保經過兩期長達五年的規劃，邀集各方關係利害者、勞工、榮民、漁民、各級醫界、工商雇主，開了不知幾百次的講習會、研討會、公聽會，才將13種社會保險的醫療給付，合併為單一的全民健保，才有今天尚稱穩固的全民健保。反觀國民年金，為了選舉倉促辦理，造成今天尾大不掉，正好成為對比。

　　蓋蚊子館是個國家系統性的問題，六大冊的蚊子館，沒有任何檢討及記取教訓。兩個爛黨輪流執政蓋蚊子館，不斷弱化台灣，好像共同努力在促進中國對台灣的統一大業。蔡英文總統若真有把握前瞻計畫不會成為蚊子館計畫，就宣示一下，如果10年後有百億成為蚊子館就切腹，如果千億以上，就誅九族吧！

11

台灣需要二代轉型正義

> 我們雖不再讓母親為在綠島的政治犯
> 而暗夜哭泣，但更多人為養育子女、
> 照顧長者、籌措學費、支付房貸而暗夜流淚。

　　社會不正義，若不轉型終將動亂。但綜觀全球轉型未獲正義反而生靈更加塗炭者，所在多有。

轉型正義，卻導致更不正義

　　2011年突尼西亞一名青年自焚，以對抗腐敗又違反人權的政府，引發大規的民眾抗爭，人民起義，推翻了政權，連帶引發了北非及中東獨裁國家一連串的反政府暴動示威，即謂「阿拉伯之春」。而突尼西亞也成為繼東德及

南非之後，唯一轉型正義成功的國家。

其他阿拉伯之春的國家呢？埃及穆巴拉克倒台後，極端宗教政府反導致民生凋蔽，軍方趁機武裝奪權，又回到軍人專政。葉門、阿爾及利亞等國，正義也是無疾而終。最可憐的是利比亞，和平示威引發武裝內戰，格達費被殺，雙方死亡至少3萬人、失蹤4萬人，國家陷入軍閥割據及內戰。

較利比亞更為慘烈的是敘利亞，為打倒獨裁的阿塞德，反抗軍、伊斯蘭國、庫德族反叛軍及政府軍，受到美、俄、土耳其及伊朗各國在幕後的操弄，打成一團，兒童、婦女死亡至少50萬人。且因民不聊生，包括上述國家在內的民眾只得大逃亡，死在海上及途中的難民不計其數。

簡而言之，要求轉型正義的一方，必須實施良政，既得以去除不公不義，又能撫平人心，休養生息，才可以免除另一場可能更不正義的發生。

解嚴了，更多人暗夜流淚

台灣在威權時期不義事件眾多，絕非用「當時處在特定時空」為理由就可以卸責，因此國民黨的黨產被清算了、銅像被移走了、漆也潑了。現今的國民黨雖不是當年製造白色恐怖的國民黨，但也常低聲下氣，委屈自己為當年「贖罪」。但只針對威權時期轉型正義是遠遠不足的，

　　　　　　　　　　中華民國如何不亡！?

更要對解嚴後四位總統的施政，進行二代轉型正義。

　　台灣解嚴後，言論、組黨、出版是自由了，但有比威權時代更快樂、幸福了嗎？首先，台灣原為四小龍之首，韓國、新加坡當年還派人來台學習，台灣的GDP遠在韓國之上，更不要談中國大陸了。然而今日又如何？早已差韓國、新加坡一大截，連大陸沿海都快追上了。

　　台灣解嚴後，當政者施政無方，民粹治國，分化對立以謀選票，貧富差距加大，薪資倒退16、7年，房價高入雲端，財富及教育階級化。

　　加以政客從中央到地方，炒地皮、瓜分公共工程，將蚊子館的資料彙集出版，已可以出版到六大冊，浪費不知多少民脂民膏。僅以核四論，歷經四位轉型後的總統，就浪費了4,000億，台灣人從嬰兒到植物人，每個人都需負擔1.5萬元。

　　如此這般當然沒有費用照顧家庭中老的、小的，也沒有經費辦好教育。不過數年，台灣已成為全球最不結婚、最不生育的地方。虐兒無日無之（每年登記有案1.5萬以上，每日147名），自殺人數只增不減。照顧者在心力交瘁下，殺害被照顧者的事件，近10年超過50件。年輕人普遍沒有希望，社會呈現解組的現象。

　　我們雖不再讓母親為在綠島的政治犯而暗夜哭泣，但更多人為養育子女、照顧長者、籌措學費、支付房貸而暗夜流淚。青年人沒有前景，鋌而走險創建了全球最大詐騙及製毒王國。

總之，我們是否也不該容忍解嚴後的惡質政客？從李登輝起的四位總統只要選票，不斷弱化及分化台灣。就如沒有受到長照政策支持的王老先生，在心力俱疲，以螺絲起子終結愛妻後，在法庭上的一句話：「我不認罪，是制度殺人」。沒有二代轉型正義，目前的轉型正義不過是一場赤裸裸的鬥爭。

12

都是年輕人的錯？

宏觀而言，如果是很多年輕人，
而不是少數人找不到工作，
社會當然要負相當的責任。

　　2013年在台灣舉行的一項座談會中，學生問二位諾貝爾經濟學獎得主有關青年畢業生失業問題，這二位學者回答「當然是學生的問題」。遠見天下文化創辦人高希均面對類似的問題時也直言，很多人雖然完成學業，還是靠父母照顧，但其實工作要自己找，「政府沒有欠你，是你自己欠自己」。

　　這話說得不錯，再壞的時期、再惡劣的環境，都有人創業成功，飛黃騰達。成就與學歷也沒什麼一定的關係，比爾‧蓋茲及賈伯斯均大學沒畢業，王永慶只小學程度，

郭台銘也不是什麼台清交的高材生，不都在產業上雄霸一方，富甲天下，數錢數到手抽筋。

還有認識的修車行老闆與水電行老闆，都向我抱怨，即使願意支付比22K高2-3倍的薪水，還是找不到年輕工人，直說3、5年後只得關門。其他焊接工、裝潢工等的工頭，都有相同的困擾，一位熟練師傅一個月工資可達6、7萬以上，但仍常找不到人。

有工作不做、有錢不賺，一畢業只想找一個錢多、事少、責任輕還要離家近的工作（這沒什麼不對，人同此心，心同此理，只是要評估自己有沒有這個條件），從個人或微觀而言，找不到工作當然是個人的責任。

批評的同時，也該說句公道話

然而從宏觀的角度觀之，今日年輕人身處的社會環境又是如何？政府貪腐醜聞從不間斷、蚊子館蓋不停、政商民代勾結炒地皮已成常態、政府施政不夠透明，浪費成性，因此民眾不願加稅。稅改無望，政府必然又小又窮，因此不但對教育、研發投入不足，政府還因為缺錢，帶頭採用派遣工，且以勞動部為甚。對家庭支持也嚴重不足，造成年輕人不婚、不育，嚴重侵蝕國家未來的根基。

由於政商勾結嚴重，政府財政經濟政策乖張，致使經濟成長的果實絕大部分經炒房、炒股，轉移至少數財團，且幾乎不用納稅。也就是整體國家經濟政策貶抑勞動

價值，經濟雖然成長，薪資反而倒退，絕大部分稅賦由受薪階級承擔。在此政策下的結果，就如行政院主計處的公佈，30歲以下就業人口，60%以上月薪在3萬以下，一年不吃不喝也不夠買都會區一坪老舊公寓，怎能不叫廣大年輕人懷憂喪志？因為再怎麼努力也逃脫不了22K的宿命，不如過一天算一天。

　　因此宏觀而言，如果是很多年輕人，而不是少數人找不到工作，社會（政府）當然要負相當的責任。若為激勵年輕人奮發向上，說是年輕人「自己欠自己」當然無妨，但在批評年輕人是草莓時，也應對社會的高度不公不義說幾句公道話吧！

13

台大愧對國人

在四位台大人總統及眾多院長、部長的
「同心協力」之下，台灣從四小龍之首
淪為之末，台大該不該向國人道歉？

自從蔣家之後，四任台灣總統均是台大人，至於行政院長、部會首長出身台大者，以四口之家一起來算，非得手指加腳趾才能數完。

首位台大人總統為鞏固政權，向黑金、財團、地方派系靠攏，當時有伍澤元弊案逃亡名列十大要犯、廖福本又稱紅包本，有紅包就使命必達、劉泰英國民黨大掌櫃曾以6,000萬天價交保但最後仍判刑服監了事；繼任者演出「海角七億」，整布袋鈔票送官邸，至今仍不認錯也不認罪，綁架整個綠營；下一任真不知該怎麼說，笨到極點，唯一

　中華民國如何不亡!?

貢獻恐是去化舊鞋，對鞋業或有稍許助益。最近的這一任，有過之而無不及，傾全力弱化、分裂台灣，是台灣史上最暗黑的總統。

在四位台大人總統及眾多院長、部長的「同心協力」之下，台灣從四小龍之首淪為之末，未來恐將在泰、馬、印尼之後。房價高漲、炒房炒股不用繳稅，但薪資卻退回16年前，貶抑勞動價值，一切向財團靠攏，讓年輕世代不婚、不育、不養、不活，沒有前景。教出了這批禍國殃民的總統、院長及部會首長，台大該不該向國人道歉？台大人對台灣的貢獻，與台大畢業人數及國家的投入可成比例？

大學應追求的，是對社會的貢獻

試問，能夠訂定國家前瞻發展計劃，全力執行，貢獻經濟社會發展，卻又不與財團勾結的政府官員，如尹仲容、李國鼎、孫運璿、趙耀東之流，哪個是台大畢業的？現今發展產業，創造就業機會，富國富民的企業家，有幾人是台大人？

我在民國70年代初學成返國，曾在台大牙醫系教授生物統計學。通常學生對本院教師授課並不鼓掌，但那個學期結束時，同學們一致為我鼓掌，表示特別給我殊榮。但我回說聽不見，同學們噓聲四起，意思是給你榮耀，你還嫌掌聲不夠。我則反問他們，台灣哪個牙醫系歷史最久？

眾生回答當然是台大；我又問，目前全台灣省（當時只有台北市一都）執業的牙醫師，有幾名是台大畢業的？眾生茫然。我因曾執行台灣醫療人力調查，所以很肯定地告訴他們，只有七名，其他通通出國賺美金去了。就算把這七名台大畢業的牙醫師通通丟到淡水河，也對台灣的口腔醫療沒有什麼影響，若我有良心，應到中山或北醫任教，因為他們才是台灣牙醫師的主力。眾生聽後垂頭默然。

2011年離開政府後，我受台大南加州台大校友會之邀，前往演講，遇到三個高中同學，都是台大人，都從屬於聯邦職位的郵差工作退休，吃穿不愁。若到美國創造發明，有利全人類，當然值得讚許鼓勵，但到美國只為謀個安穩工作，這就是台大人的志向？

首先，大學應追求對台灣社會的貢獻，而非爭取世界排名，若論對國家貢獻，台大恐還不如成大（各大學應依對台灣社會貢獻評比）。其次，台灣教育早已階層化，台大學生多從富裕家庭出生，應繳合乎成本的學費，至少應比照私立大學，但對困難學生給予全額獎學金（據聞台大獎學金名額甚多，清寒獎學金常找不到發放對象）。如此至少可收學費15億以上，而非讓私校家長繳稅補助台大（公立大學）的低學費。

最後，個人曾任教台大多年，也是罪孽深重，就此深深鞠躬道歉。

14

以債養債，伊於胡底？

倡言多增加公債，
是期望在短期內多撒錢討好民眾，
又是一次短多長空的政策。

　　「公債就是未來的稅」（前財政部張盛和部長語）。未來的稅有兩種，一種是明的稅，就是增加稅率。另一種是不少賴皮政府的「暗稅」，就是拚命印鈔票來還錢，印鈔票會造成通貨膨脹，讓每個滷蛋從10元變成20元，等於交了50%的稅。

只要是債，遲早要還

　　馬總統任內曾對即將破表的國債表示意見（法定國

債不得超過GDP的40％），認為有些國家的債務已超過GDP100％，甚至200％，還不是活得好好的。此說真是令人駭然，只要是「債」，遲早要還，不管是外債或內債（財經官員很自豪說台灣沒有外債）。內債就是向未來借錢，特別是下個世代。現在政府每年支付的公債利息已達1,280億，隨著公債餘額擴大，利息支出不斷增加，越來越多的稅收用以支付利息，更需以債養債，惡性循環，伊於胡底？

國債增加也會活得好好的，只有一個條件，那就是國債是用來推行各項經濟建設、促進經濟發展與就業。如此，增加的稅收不但可以支付利息，且可以還本。但事實非常明確，台灣的國債都是消費性支出，用來填補軍公教退休、老農社福支出等，經濟建設比率每況愈下，且所謂「經濟建設」中，有不少根本是蚊子館，而幾乎沒有回收。

還債之路，可憐的都是老百姓

還債的路，一條是加稅，但台灣稅制極其不公，薪資階級交稅一毛不能少，資本利得幾乎不用交稅，因此近10年稅只有減沒有加，減的又是富人的稅，所以一談到稅，民眾莫不心裡開幹。

另一條路是以往很多政府都做，且幾乎可以確定未來政府也會做的，就是印鈔票去支付債務。大家的錢都貶值了，就是另一種抽稅。台幣貶值最可憐的是一般老百姓，

因為富人可以囤貨居奇及炒匯，購囤大量民生物資，等漲價後再賣出；或將台幣換成美元，等台幣貶值後，再換回台幣，石油危機時富人就是用此方法反而大撈一筆。而一般小民不是沒錢，就是只有3、5萬，至多30、50萬，炒作規模太小，獲利有限，還不如老老實實地去拚22K。

目前國債超過5兆6千億，而且以每年2到3千億的速度增加，平均每人負擔債務23.8萬元。台灣人口結構早已成為倒三角型，未來30到50歲的工作人口將大幅減少，依賴人口增加，如何負擔？下一世代的工作人口是否應該革命，抗議目前世代的不負責任、只知享受？代與代之間是否要相互鬥爭？

如果說國債多，也可以活得好好的，那希臘等歐豬國家民眾為什麼苦不堪言，天天上街頭？為何阿根廷總統要搭直升機逃跑？為什麼盛產牛隻的阿根廷人吃不起牛肉？倡言多增加公債，顯然是期望在短期內多撒錢討好民眾，以提升極其低迷的民調，又是一次短多長空的政策。有如此荒謬的總統，台灣人民真的需隨人顧性命了。

15

低稅賦、爛政府、遜官員

巧婦難為無米之炊，消費者要求的價錢太低、
國家的稅收太低、官員的報酬太低，
都不可能有高品質的好貨。

　　台灣黑心商人製造販賣的黑心商品幾乎無所不在，從
三聚氰胺毒奶粉、毒澱粉、塑化劑、銅綠橄欖油，再到餿
水油。至於殺蟲劑青菜水果、賀爾蒙雞、豬等等，更是無
日無之，反正一下子死不了人，也就不是什麼新聞，賣的
照賣、吃的照吃。這只是食品，其他商品呢？難道只有食
品商人心會黑，其他行業商人都超有良心？才怪！偷工減
料，海砂屋官司至今還沒打完呢！

　　　　　　　　　中華民國如何不亡!?

要求不合理的價格，就有不合理的品質

　　商品不良都是奸商的錯，這話只對一半，消費者貪小便宜也要負些責任。殺頭買賣有人做，賠錢生意沒人做，硬要買低於成本價的橄欖油及花生油，當然只好製造出有花生香沒有花生的花生油了，這就是典型的劣幣驅逐良幣。最可笑的是，因當時油電雙漲，鬍鬚張便當要漲價，被若干消費者罵到臭頭，甚至有些網民要求政府出面干涉。便當不是特許行業，家數眾多，也有很多替代品，是高度競爭的物品，鬍鬚張根本不可能壟斷。在媒體壓力下，鬍鬚張後來降回原價，如果它要維持利潤不變，當然只好偷工減料，更嚴重時難免就成黑心食品。雖說貴的不一定是好貨，但過於便宜的，一定不可能是好貨。

　　再一例就是連續幾次食安事件中，沒中標的大廠大概只剩下義美食品。義美自設實驗室檢驗，嚴選源頭原料，成本較高，售價必然也高，不但便利商店不上架，連很多大賣場都不進貨，還好義美有自己的店面通路，才勉強維持至今。政府有責任確保食品安全及充分正確標示，資訊透明讓業界公平競爭，但若干民眾只要求便宜美味，期望低於成本購物的心態，也應修正。

貴不一定好，便宜一定沒好貨

　　同樣的，稅賦過低也不會有好政府，台灣稅賦只占

GDP的13%，是GDP2萬美金以上國家中最低者，只有韓國的一半。稅賦過低，政府就沒有充裕經費辦教育；無法廣設公立托兒所、幼兒園，幫助年輕夫婦養育子女；失能老人也得不到社會支持，只好被累垮的親人、照顧者殺害；政府投入科技研發的費用，遠不如韓國，因此國家投入大量經費給工研院從事研發，再技轉台積電的成功案例，很難再有一次。政府窮，只好帶頭用派遣人力，年輕人更沒有前景及能力成家立業養育下一代。

雖然稅賦高，不一定是個好政府，因為有可能錢都被官員A走或蓋蚊子館浪費掉；但稅賦太低，就一定不會是個好政府，因為巧婦難為無米之炊。再者，台灣的稅賦不但低，且主要由受薪者負擔，而非財團及炒房炒股者，是個爛政府殆無疑義。

官員皆C咖，施政如何上軌道？

便宜沒好貨也可用在官員上。台灣的政務官待遇和周邊國家差很大，衛生福利部長的薪水是新加坡的1/20，而台灣人口卻幾乎是新加坡的四倍。薪水低對某些原來事業有成者或尚可忍，但在台灣當官一點尊嚴也沒有，曾有某新任部長一上備詢台就被罵為王八部長。甚多立委質詢的粗口，如果用於子女，這些子女的激烈反應恐不是父母可以招架的。政務官尊嚴上的待遇太差，多數能人視進政府服務為畏途，A咖、B咖不當政務官，只有C咖、D咖才做

官，政府施政怎能上軌道？

　　再說一次，貴的不一定好，但便宜可真沒好貨。

16

總統請做唐三藏就好

做領導者其實很簡單，
找到前進方向和孫悟空就行了。

　　《西遊記》是中國四大古典小說之一，從現代眼光解讀，也是一部絕佳的管理學教材。在由唐三藏、孫悟空、豬八戒、沙悟淨、白馬組成的取經團隊中，唐三藏是個最無能卻又最關鍵的人物。

　　「無能」是說他肩不能挑、手不能提，一點法術都不會，每次遇到妖魔鬼怪，只會發抖念經、坐以待斃；對付不了妖怪也罷了，更糟的是還常受妖怪蒙騙煽惑，回過頭對付自己手下第一員大將孫悟空，氣得孫悟空幾次翻臉棄他而走，看起來就像個大包袱。

但是少了唐三藏，這個團隊會立刻失去存在的根本意義。他提出的願景目標，是這個團隊的一致信念與前進方向，也是成就團隊的基礎。在唐三藏取經大願的整合之下，七十二變的孫悟空、搞笑的豬八戒、任勞任怨的沙悟淨、苦幹實幹的白馬，從胡搞瞎鬧的妖怪，變成牢不可分的團隊，最終修成正果。唐三藏這個領導者的角色，扮演得確實十分成功。

搶當孫悟空，卻成豬八戒

馬英九總統真的應該好好向唐三藏學習，做為領導者，本身能力的強弱不是關鍵，最重要的就是做好兩件事：第一，訂下願景目標，不管要去東南西北哪一方，明確的告訴、說服大家，然後往前走。第二，找到孫悟空，以及控制他的緊箍咒。這兩件事若能做好，其餘的都不是大問題了。

最怕的就是自己也對前進方向茫茫然，提不出願景及施政方向，只好搶著做孫悟空；偏偏能力不足，孫悟空做不成，反成了裡外不是人的豬八戒。更不要說團隊中缺乏孫悟空，能勉強夠格當個沙悟淨，提出主張勇於為政策辯護的，不是掛冠求去，就是不容於當道，如王清峰、王如玄及劉憶如等。結果就是整個團隊像無頭蒼蠅原地打轉，又被妖怪打得七零八落，真是笨得可以。

17

「三無」總統

有一位無聊、無能、無德的暗黑系總統，
難怪台灣找不到方向。

沒事找事，無聊

俗語說「有樣學樣，沒樣自己想」，對岸的習大大自從高升為終身國家主席後，設立了各種小組，從軍事、經濟、財政、文化、思想，無所不包，自任組長一把抓，超越毛、鄧，真正成了「習核心」。蔡總統哪能落人後，前後設立了「總統府原住民族歷史正義與轉型正義委員會」、「行政院體育運動發展委員會」、「總統府新南向政策辦公室」、「行政院長期照顧推動小組」、「總統府年金

改革委員會」、「不當黨產處理委員會」、「行政院年金改革委員會」、「打擊非法與未報告及不受規範漁業專案小組」、「總統府司法改革國事會議籌備委員會」、「行政院能源及減碳辦公室」、「行政院經貿談判辦公室」、「行政院文化會報」、「行政院青年諮詢委員會」、「中華民國促進轉型正義委員會」。

除了促轉會、年改會及不當黨產會，轟轟烈烈或弄得全國雞飛狗跳、分裂社會、打擊對手外（何者為是，請各自解讀），很多是本來屬於各部會的職權，卻疊床架屋、增加黑官、讓追隨者雞犬升天，反而弱化行政效率。更有趣的是多數民眾根本不知道有這些委員會、小組或辦公室，且不少只開過一次會，再也不見蹤影，所以是個無事找事的「無聊」總統。

分裂、弱化台灣，無能

比「無聊」更嚴重的是「無能」，若干著名雜誌如《今周刊》、《遠見》、《天下》等，多期封面均在顯示蔡政府的暗黑面，且每況愈下，如「誰讓他們來不及長大」（依據衛福部的統計，虐兒、殺兒事件2018年達到新高，虐兒的主因是父母親生活高度挫折無法反轉，只好對最弱勢的嬰幼兒發洩鬱悶）；「台勞輸出啟示錄」（不只台幹，連科技人才、教授、資優學生輸出都破歷史紀錄）；「誰Fire了台灣老闆」（2018年關店潮歷年最高）；「為何台灣

淪為蚊子館王國」（包括前朝，今日變本加厲，500件以上蚊子館至少浪費了2,610億元，可供全國中小學生17年營養午餐，前瞻的8,800億只會再增加蚊子館）。由於長照2.0是芭樂票，照顧者把被照顧的親人殺害，經常上演。

在政治上，她又不顧社會清議，推舉公開宣稱只辦藍不辦綠的陳師孟為監委，綠委也不顧社會觀感全票配合。赤裸裸的鬥爭，進一步撕裂社會，還要全民團結，豈不可笑？

製造最大假新聞，無德

如此暗黑，蔡總統居然多次宣稱2018年是20年以來經濟指標最好的一年，但她卻沒說重要經濟指標之一的貧富差距，也是最大的一年（1998最高收入5%，是最低5%的32倍，目前106倍以上），表示GDP成長均歸少數人，多數人更窮了；經濟部也報告，2018年是歷年僑外投資最少的一年，這些才是最重要的經濟指標。蔡總統除了「無聊」、「無能」外，最嚴重的是宣稱在她治理之下，台灣經濟有史以來最優，這是最大的假新聞，竟然在國慶上還說要嚴處假新聞，這不是「無德」，何謂無德？

中央研究院，特別是經濟所的院士、研究員，應該是諤諤之士，卻無人指出國王的新衣，也是「無德」，廢了吧！至於最大的在野黨，也任蔡總統無聊、無能及無德，製造最大假新聞，連提告都不會，也解散算了。

18

弱化台灣者，就是統派

蔡英文領導下的綠營，
哪一件事不是在裂解、弱化台灣？
彷彿中共派來的第五縱隊，
他們才是真正的統派。

中華民國（要說是台灣也可以）是個主權獨立的國家，是全民共識。要維持主權獨立有兩大要素，一是鈔票要多，二是拳頭要硬。

有實力，才有主權

經濟發展好，可以「買邦交國」（成為其他國家的經濟依賴），可以買武器，別國不賣，有錢也可以自己研發。拳頭要硬，就是要有武備。俄羅斯敲鑼打鼓入侵東烏

克蘭，國際同聲譴責，有用嗎？聯合國說戈蘭高地是敘利亞國土，1967年被以色列佔領，近日美國（拳頭世界最大）公開宣稱該地是以色列領土，阿拉伯世界同聲譴責，有用嗎？蔡英文說如果中共武力犯台，國際輿論將支持台灣，請問有屁用嗎？

強化台灣國力，才能維持主權獨立，其他都是喊喊口號。因此凡是強化中華民國實力者，才可能是獨派，凡是分裂台灣、弱化台灣而有利老共統一台灣者，均是統派。

不想辦法自保，卻要別人賣命？

2000年陳水扁競選總統，為騙年輕人選票，提議改義務役為募兵制，2003年通過立法。無外患的瑞士、新加坡均為徵兵制，而時刻處在武統威嚇下的台灣，卻是募兵制。徵兵制時65%是大專以上學歷，募兵只15%，請問高科技武器的操作水準會升或是降？

「敬軍愛民」是句老口號，2016年士兵虐狗是該被譴責及受罰，然而綠營支持者一陣亂打，國軍五度道歉不夠，國防部長還兩度親上火線。越戰後，美國人在美軍屠殺美萊村越南平民後，普遍厭軍，但近年美軍為國犧牲者眾，早改為敬軍，各大機場設有軍人專屬候機室、咖啡、飲料伺候。反觀台灣，休假士兵因無法預購車票（手機不許在營內使用）在東線鐵路上只能席地而坐，何來尊嚴？老共打來誰願賣命？只好請蘇院長用掃把幹到底。

綠營一再倡導去中國化，然而多數台灣人與中國在血緣及文化上的糾葛何其深遠，過春節、元宵吃湯圓辦燈會、端午吃粽子划龍舟、中秋賞月吃月餅，哪一件不是中國的文化？只有中秋烤肉是唯一的台灣本土文化吧！近日蔡英文、賴清德到處去拜的，不是「中國的神」嗎？難道將來課文要改成媽祖誕生在北港（朝天宮）或大甲（鎮瀾宮）、關公生於關渡（有個關字）嗎？國人抗拒的是「政治的中國」，中華民國及中華人民共和國，是兩個完全不同的政治體制，但綠營的去中國化、扣紅帽子，卻嚴重分裂及弱化台灣。

真促轉，還是真鬥爭？

　　再舉一例，年金改革並無不可，但想當年，軍公教薪資低到不行（包括本人），每月要騎自行車去領依眷口配給的米、油、鹽過日子，被社會大眾視為「魯蛇」。而如今，卻遭蔡總統也是蔡主席領導下的立委、名嘴，至少三個多月的時間，每天開罵是「肥貓」、「不要臉」，差一點下令要各機關掛布條譴責，教軍公教情何以堪？

　　做為領導人，只要說聲軍公教功在國家，但今日財政困難，請共體時艱，可以少掉多少怨氣？（更可惡的是，又編了8,800億「不前瞻」預算，好不容易省下的錢又亂花掉了）。年金砍到零都可，但士可殺、不可辱，軍公教回罵蔡英文一句「混蛋」，剛好而已。

一個國家的軍、公、教普遍不滿，這個政府能治理好嗎？以往國民黨造成白色恐怖，促轉是種必要，但東廠事件讓多少人開始懷疑，到底是真促轉，還是假促轉之名行赤裸裸的鬥爭之實？蔡英文提名的監察委員，在立法院通過前就公開宣稱只辦藍不辦綠；NCC及中央選舉委員會主委的任命，以上種種，哪一件不是在裂解台灣、弱化台灣？

　　蔡英文、賴清德、整個綠營，才是真正的統派。多次學界朋友聊天，談到國事，笑談可高度懷疑蔡英文是中共派來的第五縱隊，拿著綠旗反綠旗，統一之後，必可入祀北京八寶山革命公墓。

　　綠營倒行逆施，國民黨再強大，也大不過「討厭民進黨」。

中華民國如何不亡！？

19

辣台妹撿到槍，
還是在亡國？

習大大哪會不知道最近所做所為，
是在送槍給辣台妹，卻仍堅持如此，
必是不再恭儉讓，鐵了心，另有所謀，台灣危矣。

　　最近老共不斷給辣台妹送槍，先是停止陸客自由行，再來是刪減團客，連辦了幾十年的華語電影金馬獎，也禁止參加，兩岸文化交流奄奄一息。再來是香港的反送中，不論多少人上街頭，也不論是什麼人上街頭（包括公務員），中共中央就是絲毫不讓。反送中力道之強，絕非外來勢力所能煽動，前特首董建華說是CIA及蔡政府的金錢介入，是否CIA不得而知，但若辣台妹有此本事，那真的只能說：「厲害了，我的辣台妹！」

　　自從李登輝時期，不論江澤民、胡錦濤，只要逢台灣

選舉，就對台武嚇文攻，但每次都適得其反，老共哪有笨到學都學不會？所以2016年大選、2018年9合1選舉，都靜觀其變，不發一語。

眾所周知，習大大是「知台派」，在福建工作近20年，曾任省常委、省長等職，與台商交往頻繁，哪能不知每次對台文攻武嚇，就是給辣台妹送槍；但蔡總統的所作所為，卻是給習大大送了大砲。

撿槍，送大砲

綠營，特別是深綠的急獨派，為「建立及維護本土政權」（要說真本土，9族或16族原住民才是），不斷強化「台灣民族主義」，而無視於兩岸在血緣上及文化上的強烈連結，連日本人高壓統治五十年都未能有效斬斷。

而綠營不斷的去中國化，修改課綱，減少文言文（中國文學），將台灣史不再與中國史連結，連書法、扯鈴都在排斥之列，甚至貶抑、辱罵「中國人」，不但造成台灣內部的極大矛盾與分裂，更讓習大大撿到了大砲，用13億人的中華民族主義，對抗2,300萬人分裂的台灣民族主義。

用中華民族的感情對抗台灣的民主、自由價值，是感性與理性的鬥爭。歷史上證明，感性常戰勝理性，故引起世間多少殺伐與戰爭，大陸民間及知識份子贊成武統台灣者越來越多，是蔡政府只為選票所做最愚蠢誤國的政策。

一個民族因政治理念不同，可以分為多個國家（如美

國獨立於英國);多個民族因政治理念相同,可以合為一個國家(如瑞士、加拿大、新加坡)。習大大哪會不知道最近所做所為,是在送槍給辣台妹,卻仍堅持如此,必是對民進黨不再恭儉讓,鐵了心,另有所謀,台灣危矣。

兩顆核彈頭,台灣受得了嗎?

而相對辣台妹,習大大除了撿到砲(大陸同胞漸增的反台情緒),最可怕的是手中還握有兩顆對付台灣的核彈頭。一是台灣幾乎被排斥在多數自由貿易協定之外,兩岸貨貿協定(ECFA)是台灣最大的自由貿易協定地區(但服貿協議又因太陽花運動停擺)。台灣40%以上出口至大陸,只要中國比照美國對付伊朗、古巴或北韓的方式,在ECFA2020年6月滿期後不再續約,甚至提前終止,台灣如何在短期內開發40%的市場?

另一顆核彈頭,是比照東西德在統一前夕,1990年5月18日簽訂「國家條約」,同意在兩德統一後,以嚴重不具購買力的東德馬克一元,換西德馬克一元,東德圍牆如何不倒?

台灣過去鬼混了20年,雖GDP成長,但薪資占GDP比率不斷下降,貧富差距擴大到史上最高。僅以2017年綜合所得稅資料來看,最高5%與最貧5%,相差達到113倍;而年度所得只是財富的一部分,實際貧富差距必在數百倍以上,所以韓國瑜的一句「莫忘世上苦人多」,就可

以造成「韓流」。如果習大大也來個以存款證明為憑，現金一元台幣換一元人民幣，且以百萬為上限（台灣40歲以下有百萬存款者只約5%，對30歲以下有孩子者及月光族則可加碼），那不是可讓多數人發大財，富人吃大虧嗎？且又可縮小貧富差距。

這兩顆核彈頭台灣受得了嗎？習大大現正忙著與中國打貿易戰，但核彈頭沒有準備嗎？蔡政府還在得意撿槍騙選票，分化國人，她才是正牌統派，就等著未來入祀北京八寶山先烈祠吧！

台灣自保之道是，就算不強調，但至少不偏離血緣及文化的一中，不過強調政治上目前兩地政治體制無法一中，或可緩和大陸民間的反台情緒與鬥爭。

20

真改革？假改革？

做了前人不敢做的事，
可以是善事，也可以是惡事，
不妨用三項指標來檢驗。

　　蔡總統說自己是改革者，做了前人不敢做的事。前人
不敢做的事其實有三種，一種是興國利民，或者是禍國害
民，也有可能二者兼具。

　　說到做前人不敢做的事，非提一下李師科不可。他是
退伍老兵，開計程車為業，先於1980年元月殺警奪槍，過
了二年，持槍闖入土地銀行古亭分行大喊「錢是國家的，
命是你們自己的」，順利搶走531萬。在破案前，也是開
計程車的王迎先，因為酷似搶匪，遭警方刑求逼供，跳入
新店溪自殺身亡。李師科最後被他放置大部分贓款的朋友

檢舉，判死刑後五天槍決。

此案暴露了底層老兵對貧富擴大社會的不滿，也因王迎先事件，立法院通過修正「刑事訴訟法」第二十七條，被告隨時可選任辯護人，俗稱「王迎先條款」，此後刑求情事大幅減少。他們二位的死，雖不能說重於泰山，至少可比千斤。李師科是罪人，王迎先無辜，卻都間接對社會做了善事。「八百壯士」倒不必做什麼前人不敢做的事，但到吳天禪寺（李師科廟）拜一下，倒是應該的。

早年辛苦，一筆抹煞

回到真假改革的第一項指標，就是年改，蓋棺論定，是個大敗筆、大錯誤。先不論什麼信賴保護或憲法之爭，軍公教歷盡滄桑，再怎麼改，總是餓不死。以我為例，服務公教30年，二度任政務官，細節不談，砍前月退近8萬，砍完也有5萬餘元，對3、400萬月入不到3萬的年輕人，或平均薪資不到5萬的絕大多數上班族來說，再砍一點也應可接受，但為什麼對蔡總統的第一項改革說是大敗筆呢？這就要說一段千千萬萬軍公教的故事了。

我在美留學，十分幸運，拿了四年的全額獎學金，最後一年，每月800美元生活費。拿到博士學位後，在美工作也有著落，但十分想家，聽了李雙澤低聲吟唱的少年中國「鄉愁是給不回家的人」，就回台大任教了，月薪台幣4,000元，合美金100元。

台大醫學院公共衛生系所，是台灣最重要的公共衛生研究及人才培育重鎮，但很多老師沒有電話，醫學院幫我從系所辦公室拉一條電鈴，若有電話便按電鈴通知，我再快步跑去系所辦接電話。1984年我擔任公衛系、所、科主任，協助各臨床教授從事資料統計分析，所得費用都入學校會計單位，我再領出，才終於替每位教師裝設專線電話及一把電風扇（包括陳建仁在內）。

　　至目前為止，和日、韓、香港及新加坡，甚至中國的一流大學相比，台灣教授薪資是最低的，就算當了肥貓，退休再任私大，拿了雙薪，也不及上述國家的教授薪資，更不及北農的吳總。大陸某些大學的教授，薪資和台灣教授金額相同，只是單位是人民幣。

激怒軍公教，年改大失敗

　　台灣早年軍公教普遍低薪，被認為是魯蛇，這些都是自己選、甘願受，沒什麼好抱怨的。令人憤怒的是，台灣能夠錢淹腳目，成為四小龍之首，難道千千萬萬堅守崗位、努力不懈的軍公教，沒有功勞及苦勞？然而這些人卻被綠委及綠媒一再污辱為肥貓，連「不要臉」都罵出口了，整整兩年。而身為總統及黨主席的小英，連出張嘴說一聲軍公教辛苦了，請綠營同志少說幾句酸話都沒有，等到正式實施年改，才向軍公教道歉。這就如同先罵人三字經，再讚你媽是賢妻良母。蔡總統的道歉，只有更激怒軍

公教。她是一個完全沒把軍公教當人民，讓軍公教充滿憤怒的總統，僅這項，改革就是失敗的。

硬的柿子敢吃嗎？

第二項是任內是否能真正對最大窟窿勞保，進行年改；第三項是二代轉型正義。解嚴後，政治犯沒有了，但台灣的經濟及社會每況愈下，蚊子館及民粹民主更多；人民為養育子女、照顧長者、籌措學費、支付房貸而暗夜哭泣。若勞保年金及二代轉型不敢做，則將證明蔡總統任內是假改革，真鬥爭，是台灣近代最黑暗的時期。

做不敢做的惡事，也可能有一利。台大可以沒有校長，教育部可以沒有部長，我們發現台灣似乎也可以沒有總統，日子反而過得更好。

21

不出力又不出錢，
何來國軍？

藍綠合作，討好選民，
廢除徵兵，又沒錢募兵，
國防部關門算了。

　　國防軍力是國家安全的保障，即使永久中立國的瑞士、瑞典，對國防也從不鬆懈，好男均要服役。至於四周強敵環伺的國家如以色列、惡鄰急欲併吞的如台灣，或者要稱霸世界的如美國，更需要建軍經武。

建軍有三種

　　建軍的方式不外乎三種，一是出力又出錢，如以色列不論男女，只要年輕健康，均以服役為榮，人民交稅

以高額預算養兵。二是出錢，請別人服役（募兵制），如美國、日本，錢若出得夠多，還可請他國勇士來效命，如法國的外籍兵團，美國在伊拉克的黑水公司（Black Company），均是驍勇善戰，世界知名。

第三種則是要別人出力，但自己又不願出錢。官兵衣食無著，要自己找吃找穿，只好如盜賊一般打家劫舍，導致軍紀無存，官兵變強盜，如明朝末年或國民政府自大陸撤退前一、二年的大混亂。

中國大陸在改革開放初期，稅收無著，各部隊為了謀生，辦企業、開賓館，走私黑星紅星手槍到台灣，軍紀敗壞至蕩然無存。直到2000年左右，總理朱鎔基「軍隊吃皇糧」的一聲令下，不准軍隊再經營事業，並將軍隊經營的企業全部出售，改由國家編列充足預算，立即使共軍成為世界超強軍事武力之一。

藍綠合作，大撤國防

台灣在阿扁時期倡言國人未來不必服役，改為募兵制，馬英九藍綠合作，一以貫之，結果是募不到需要兵力的二、三成。道理很簡單，月薪22K必然沒人應徵，至少需要50K吧！加上吃飯穿衣一個月2萬，一位國軍一年就要花費84萬，20萬大軍一年至少要1,680億，超過全年中央政府總預算的10%。

這還只是基本消費額，將、校們的花費則高得多，以

2012年為例，當時義務役仍為主要兵源，人員維持費就高達1,500多億，超過國防總預算3,000多億的半數。若加上武器彈藥及未來的退休撫卹，全部改為志願役國防預算沒有增加1,000億以上大概搞不定。而台灣稅收只占GDP的13%，用膝蓋想就知道不公平合理加稅，特別是對富人及炒房炒股者加些稅，募兵必不可行，真所謂「稅收無著，何以養兵」？

愛台灣，只用嘴說

某些綠營人士天天喊愛台灣，要獨立一邊一國，但有哪位天王、太陽或星星月亮之流，鼓勵自己子弟從軍報國？為何在尚需服義務役的時代，一堆人抽到「金馬獎」（到外島服役），但天王的子弟們運氣都超好，一抽就是到總司令部涼快，開積架上班，更有拍馬屁的將軍們每天噓寒問暖好不快活，藍營的權貴們也常不多讓。

從高位者及富人開始，既不出力又不出錢，國防部關門算了。

22

徵兵改募兵，罪大惡極

兩大政黨以民粹討好年輕人，
卻導致兩岸軍力大幅失衡，
正是有利於中共武嚇台灣的禍首。

　　所謂有備無患，先不論面對外患的國家，如以色列，即使完全沒有外在威脅的瑞士及新加坡，也都是徵兵制。台灣不論藍綠，特別是綠營，都強調中華民國是個主權獨立的國家，在習大大天天喊完成統一大業的威嚇下，要維持主權獨立，只有二個方法，一是鈔票要多、經濟力強；二是拳頭要硬、武備要足。

　　目前台灣經濟能力相對中國大陸，每況愈下，早已不足為恃。武備方面，早年美方軍力遠勝中共，且全力支持國軍裝備現代化，台灣又全面實施徵兵制，對岸雖人多，

但台灣兵精，所以八二三炮戰、海戰，台灣都撐得過去；特別是空戰，台灣還是勝方，有相當時間中共軍機長期不敢越台灣海峽一步。

改募兵，兩岸軍力大幅失衡

2000年陳水扁競選總統政見之一，成立專案小組修改兵役法；2003年立法院通過以志願役為主，義務役為輔，國民黨竟然附和，達成2017年為全募兵制。從此之後，1994年以後出生的役男，只要象徵性的接受四個月的軍事訓練，徵兵制進入歷史。台灣兩大政黨以民粹討好年輕人騙取選票，卻導致兩岸軍力大幅失衡，正是有利於中共武嚇台灣，不排除武力統一的禍首。

募兵的結果，首先是募不到兵，就算不斷薪資加碼，福利倍增，也一直募不到足夠的兵，例如預定召千名預備士官，只來八名。更嚴重的是素質下降，在義務役時，大專畢業者占65.8%，志願役只剩18.5%；士官受訓幾週轉軍官，免讀軍官學校即可擔任軍官。美方建議台灣至少要有21.5萬軍人才可自保，因此2017年美在台協會主席莫健特別關切台灣的軍力弱化。

科技戰爭更需要有質有量的軍人

更可笑的是若干年輕人，認為現代戰爭是高科技戰

爭，只要按個鈕，打打電腦鍵盤就可打敗敵人，服兵役是浪費時間，這真是大錯特錯。現代戰爭更需要訓練有素、數量足夠的軍人。例如各型軍艦必然需要航海、輪機等專業人員，募來的軍人若平均學歷低下，要訓練多久才能上手？不誤按飛彈按鈕就不錯了。在徵兵制下，各海洋相關院校航海、輪機等系畢業生皆可用，比培訓募兵成效不知高出多少。飛機、坦克、飛彈的保養、維修，乃至軍隊的財務、衛生、管理各方面也一樣，均需要相關科系的畢業生服役。以色列一個小國，能力抗四周兵多、錢多、力倡消滅以色列的諸回教國家，就是因為如此。

行政院蘇院長豪氣萬千，要以掃把和老共拚到最後，但就是沒膽說出恢復徵兵制，因為年輕人的選票比國防重要。蔡總統說老共犯台，國際輿論將普遍聲援，但俄羅斯入侵烏克蘭，國際輿論有屁用嗎？更妙的是台灣人自己不當兵，卻要美軍在台受攻擊時支援，要老美去死，更是大笑話。

當兵是成長的象徵

以往徵兵時或許有些不當管教問題，這當然需要改革，但服兵役絕非全然浪費時間，多少媽寶因服役養成自我管理的能力，及學習團體生活的能力；更多年輕人因而學習各種技能，包括駕駛重車、怪手、修理機械等。今日華航、長榮的維修人才中，就有不少是服役時學到的技

能。

　　阿扁自己承認貪汙，也由國際「認證」，若干人盲目挺扁也就罷了，阿扁天天喊台獨，又倡議廢徵兵改募兵，國民黨竟也隨之附和，一昧討好年輕選民，弱化台灣國防，才是罪大惡極。

23

不耐心磨劍，
如何享有政績？

未經打磨、倉促施行的民粹政策，
增加的只有蚊子館和芭樂票而已。

　　1986年前行政院長俞國華宣佈，將在2000年完成全民健保；1988年7月1日，吾人等受經建會之邀，組成全民健康保險規劃小組，至今已滿30年。第一階段規劃報告於1990年6月30日完成，送交經建會，轉送行政院備查。接續則由衛生署從事細部規劃，即所謂第二階段規劃。

7年磨一劍，尚僅堪用30載

　　第一階段規劃二年期間，小組同仁因深切瞭解全民健

保的施行，將對民眾、病患、醫事人員及機構、雇主、各級政府，原有公、勞、農的被保險人及保險承辦機構，皆產生巨大影響，因此不知舉辦多少場說明會、座談會、演講會、記者會、機構團體拜會等等，更舉辦國際研討會，邀請國際一流專家來台演講及與各界互動。在衛生署負責二期規劃期間，更辦理各種教育訓練及研習會，選送健康保險重要關係人前往國外考察，多次邀請國外學者來台指導，主持辦理研討會等。

為增進社會各界對健保的認知，促進健保早日實施，除行政部門外，立法院厚生會當時的會長楊敏盛先生，更提供50萬元，交由本人組成專家小組，在衛生署之外，草擬厚生版「國民健康保險法」，且聲明厚生會絕不干涉該法案的研擬，不改一字。該法草案於1991年6月完成，小組同仁依計劃要求，除赴全台各處召開座談會報告外，並由厚生會會長將該法案公開面交衛生署署長。因立法院最大次級團體厚生會的督促，行政部門立即加速，將大同小異名為「全民健康保險法」的草案，提送行政院轉送立法院，於1994年在爭議中通過立法，1995年3月1日實施，比俞院長宣佈的時程提前5年。

從開始積極規劃，共花了7年時間，但嚴格說，在開始正式規劃全民健保之前，衛生主管機構及學術界，早已從事醫事人力調查規劃、基層衛生人員培訓、研擬及實施群體醫療計劃以消除無醫鄉、醫療網計劃規劃及實施（1985年至1995年共實施二期）、省市立醫院改革計劃

等，大幅普及提升醫療資源。這些前期作業都是健保實施的基礎，實際上磨健保這一劍，何止7年？

沒有完美的制度，好還要更好

天下沒有完美的制度，台灣的全民健保當然不完美，所以二代健保又接續磨了10年，於2011年通過，如此不斷辛勞的磨劍，台灣的全民健保才能舉世稱羨。台灣過去的驕傲，如台灣錢淹腳目、民主自由等，因為民粹當道，早已成為負面教材，讓若干國際學界再度確認華人不可能有西方式的民主，國人在韓國人、新加坡人、大陸人面前，已經無法昂首闊步。台灣已經衰敗得只剩健保可為台灣人的國家認同及驕傲，當今政府也只剩健保這項可為國際宣傳及外交的工具。

健保之所以可以成為「台灣之光」，除了所有參與者付出心血、共同努力，更不可忽略一項重要因素，那就是當時的政府，有足夠的睿智體察到茲事體大，願意提供足夠的資源，做深入且詳盡細緻的規劃。台灣另一磨劍良例就是十大建設，讓台灣享受了2、30年的榮景，就不再詳述。

一隻牛剝二層皮

不耐心磨劍如何享有政績？後來為了選票，什麼幾

兆、幾星，什麼多少年、多少億，最後就是多增加幾頁的蚊子館記錄。8,800億未經詳細規劃及社會參與討論，保證又是政客分贓增加蚊子館的計劃。

一條牛是否可剝二次皮，不得而知，但台灣可憐百姓要交二次稅確定是鐵的事實，因政府不知又花了多少納稅錢在活化「台灣蚊子館」。至於小英總統的長照2.0也是一夕間的產物，未經打磨，倉促施行，各界早就認定是芭樂票。

當今政府怪中國因持續強大而不斷壓迫台灣，卻常為騙選票從事即興式的施政，且多方製造國人內鬥分裂而有利中國的併吞。連正牌的綠營大咖呂前副總統，都說台灣將滅於小英之手，小英才是不折不扣的統派。

24

破窗政治

政治人物對自己的無誠無信、無是無非，
早已不知不覺，反正「大家都這樣」，
豈差我一人？

　　社會心理學上有所謂「破窗效應」（Broken Window's theory），係1982年喬治‧凱林（George Kelling）首先提出，意思是如果放任社會環境中的不良事件存在，就會誘使人們仿效，甚至變本加厲。

　　舉例而言，一棟建築的窗子被打破了，如果多日不修，就會引來更多人向其他窗戶丟石頭，反正已經破了一扇，再多打破幾扇又如何？再如廣場或公園上有人亂丟垃圾，如果不即時清理，馬上就會出現更多垃圾，因為大家會認為這裡就是可以丟垃圾的地方。

　　　　　　　　　　　中華民國如何不亡!?

這個理論屢試不爽，日本人被認為是最守規矩的民族，但仍可見某個角落滿是垃圾及菸蒂，或某根電線桿有濃濃的尿騷味。

連神明也敢欺

「破窗理論」當然也會出現在政治上，台灣特別適用，哪位朋友若有興趣，或可出版一本全集，必可大賣。

就以「誠信」來說，政治人物說話不算話根本是家常便飯，馬英九說了無數次不選台北市長，結果呢？說了如果當選總統不兼黨主席，結果呢？至於選前說要做好、做滿，選上又中途落跑的，藍綠兩黨都不缺，據統計各約有20人，所以韓粉絕對有理由支持韓國瑜選總統。

政治人物不但對選民失信，連在神明前立誓也當放屁。蘇貞昌在神前發誓不再參選，但9合1選舉還不是「撩落去」；他還曾打包票，若羅文嘉有賄選，他要與羅一同退出政壇，但至今兩人不但沒退，還任黨政高官。至於說要跳海、吞曲棍球又不兌現的，一皮無妨，反正「大家都這樣」，「打破窗子、丟垃圾」的又不只我一人。

台灣的政治人物絕不能相信，說話不算話就算了，更要不得的是搞小動作，敗德無恥的奪取政權，只要證明不是「我」交代做的，就算是「我方人士」做的，又奈我何？早些年，國民黨選舉常被懷疑開票中故意停電好「做票」，買票更是「常事」，因此背了50年以上的罵名。然

而黃俊英買票事件、吳敦義誹聞電話事件，最後都證明是「對方」惡搞，但「對方」有承受任何後果嗎？還不是繼續當高雄市長。

禍害當世，自絕子孫

丟丟石頭垃圾也就罷了，無法無天更是可惡。NCC對中天開罰，但「勇哥」目前有罪在身，保外就醫，卻能在民視、三立大放厥詞，還替自己兒子助選，NCC的高官們看不見也聽不到，無是無非，是無恥之徒。

近來當政者又不斷放話，說藍營媒體接受老共金援，由國台辦電話指揮新聞播報，但至今無憑無據。若不是白色恐怖，就是國安局能力太差，找不到實證對這些媒體一刀斃命，不如廢了。後來國安局長因為私菸案下台，只是剛好而已。

更要不得的是遺害子孫，住宅是違建的何止韓國瑜，綠營的蘇嘉全今日不是穩坐立法院長高位？違建事小，3.8萬棟坐落在良田的違章工廠，在執政黨一聲令下，幾乎可說全部就地合法，令環團欲哭無淚。其中不少是高汙染的工廠，繼續毒化毀田，也必然絕了這些黑心官員和財團自己的子孫。

最嚴重的是「總統的國家認同」，人民有認同以及遷徙到所認同國家的自由，當然更有不競選的自由。但中華民國總統的當選人，就職時宣誓效忠中華民國，重要官員

也要對著總統宣誓效忠，所以絕對沒有認同的自由。然而李登輝前總統，在卸任後自稱在日據時代已是日本人，所以沒有「抗日問題」，又說釣魚台是日本的，可見當年發誓效忠中華民國根本是詐欺，人格分裂。

蔡英文總統則經常以「這個國家」稱呼我國，出訪時多次自稱是「台灣總統」，這不只是丟石頭，是把門都拆了。

最大詐騙集團就是政治人物

「政治破窗」，不斷分裂內耗，年輕人不婚、不生、不養、不活，沒有前景，不斷漂洋過海，有利於習大大收復台灣，原來藍、綠、白均是統派。

台灣政治人物多是「破窗」之人，但人民可不都是。看看捷運，特別是北捷，不但車廂內乾淨，連廣大的車站內亦是整潔有序，地上沒有紙屑、菸蒂、口香糖、檳榔渣，更沒人吐痰。

更美的是即使已經人擠人，深藍色座椅仍時常空著，等待老弱孕婦等需要者使用（其實年輕人不妨先坐，等有人需要再起身就可），常令外籍人士稱奇。哪天政治人物把選舉及政爭都當作搭乘捷運，中華民國一定不亡。

其實，台灣最大詐騙集團就是政治人物，竊國者侯，竊鉤者誅，太不合理，說句氣話，應修法將詐騙者一律判無罪開釋。

25

「韓流」與階級

「發大財」和「拚經濟」有何不同？
為什麼前者能讓人死心踏地相信，
後者卻讓人完全無感？

　　韓國瑜儼然已成怎麼打都打不死的「無敵鐵金剛」，但至今韓黑們仍搞不清楚這股「韓流」從何而來，甚至不少韓粉自己也不明白，為何如此挺韓，甚至非韓不投。酸民們說韓粉弱智，被韓國瑜一句「發大財」騙得死心塌地，問題是「拚經濟」多年來也被歷任領導人喊得震天價響，怎麼就沒有同樣的效果呢？

　　答案很簡單，「拚經濟」拚的到底是誰的經濟？台灣的經濟成長率，2017年達2.8%，2018年達2.6%；根據國際貨幣基金（IMF）的預估，2019年可達 2.5%。經濟年年

中華民國如何不亡!?

有增長，可見拚經濟確有成效啊！但是另一方面，勞工薪資占GDP的比重，卻一路下滑，2000年是51.0%，2016年已跌至43.83%，2017稍升至44.2%。這表示拚經濟得到的錢，並沒有分給勞工，主要都入了資本家的口袋。

雪上加霜的是，台灣錢權一家，資產稅及資產所得稅率，比一般資本主義國家如美、日等低得多，有利炒房地產者，更讓年輕人購屋無望，加速不婚、不育、不養。所以小老百姓聽到「拚經濟」，想到的是拚房地產商和財團的經濟，跟自己一點關係也沒有。退休軍公教的退撫金一樣被砍，學生一樣揹學貸，薪資十多年一樣不漲，以至於台灣近一、二十年來，教育及財富不斷世襲化，貧富階級不斷擴大。

「滿溢理論」已證明為假

在資本家眼裡，就算水果、蔬菜全部賣出去，也不過占台灣總體GDP的1.8%（2017年），對提升我國經濟實在有限。然而這卻是和一般人最相關的庶民經濟，對廣大的基層攤商、計程車司機，甚至便利商店來說，只要多賣幾碗滷肉飯、多賣幾根香蕉、多載幾組客人，有碗穩定的飯吃，他們就會有感，就心滿意足了。因此，韓國瑜幾句空洞的口號，時不時的胡扯一通，什麼迪士尼、跑馬場、賭場、愛情摩天輪，甚至太平島挖石油，不論如何天馬行空，總能贏得支持。光憑著強烈的庶民形象，就能海K那

些菁英階級。

　　不管理論或實務都已證明，拚經濟把餅做大，不代表低層民眾就可以分到（所謂「滿溢理論」），除非有相關的配套措施，例如當年辦理全民健保，讓民眾不會再因病而貧，而且縮小了貧富差距。GDP成長早就是個落後指標，聯合國2012年起就已用快樂和幸福感定義新經濟模式（包括健康、環保、生態、經濟、社會關懷等的綜合）。

　　至於韓被黑「吃在嘴裡，看在碗裡」，才當上市長就要選總統，那又如何？綠營黨國體制出於藍而勝於藍，不但官僚體系、公營事業，甚至司法監察全面介入，支持者只剩分到官位及髒錢者，吃相之難看，人神共憤，早該退選。

　　更好笑的是，選輸的都去當行政院長、副院長、部長、選委會主委了，那麼高票當選的跳級去選總統，照顧全國兼顧高雄，不也理直氣壯？至於韓國瑜真能治國，還是如同解嚴後的歷次選舉，選完不久，就有過半的選民後悔選錯人，就不得而知，有待歷史證明了。

26

「恐嚇取財」救健保

台灣近20年來民粹當道，健保也難倖免。
再不到10年，台灣就要成為「超高齡社會」，
而各縣市長仍在倡議65歲以上免健保費。
健保不倒，民粹不止。

　　自從解嚴以來，選舉萬歲，有票最大。選舉靠感性，
治國則要靠理性，政治人物若一再以感性掛帥，理性擺一
邊，則民主成為民粹，國家危矣。
　　台灣「陰錯陽差」，在各界及朝野人士共同努力之
下，全民健保自1995年實施，且成為世界上公認數一數二
優異的健保制度，不但是穩定台灣最重要的社會制度，也
減緩了不斷擴大的貧富差距。只要不是「標準的」台灣人
用了健保，就有國人站出來指責，健保成了國人對國家認
同的象徵。

然而台灣近20年來民粹當道，健保也成為其中一環。民眾不斷要求增加健保項目，醫界不斷要求提高支付標準，但是只要健保局（今為健保署）想要調高費率，首先衛生署（今衛生福利部）就有意見，更不用說行政院了，健保實施至今，行政院沒有一次挺過費率調升。

為救健保，接下署長印信

2002年，健保財務實在撐不下去了，衛生署長李明亮只好在宣布費率從4.25%調到4.55%後，下台平息眾怒。再之後的衛生署長過不了幾天好日子，又入不敷出，東拼西湊，稱為「微調」；至2009年，累計逆差已達600億，只得向銀行借款。但若一再借款支付醫療費用，健保哪能不倒？

2009年8月4日，劉兆玄院長召見，要我擔任衛生署長一職，我即提出要求，健保已虧600億，就任後要調高保費，否則健保無以為繼。他回說：「當然。」再提出二代健保已研議近10年，應該推動立法，他也回說：「這要辛苦你了。」本以為這兩項要求可讓劉院長「知難而退」，另請高明，沒想到他一口答應，反讓我無路可退了。

兩天後的下午，我從葉金川前署長手中接下印信，第一件事就是宣布調整健保費率。不意外的，當晚各界及媒體立即開罵，還好是劉院長應允，不然只怕三天就下台了，但自此獲得「白目署長」封號。

　　　　　　　　　　　中華民國如何不亡!?

一個月後不幸發生八八水災，劉院長雖盡心盡力救災，卻因「理髮」下台，由吳敦義院長接任。吳院長來電要求續任署長一職，但我立即前往中央黨部晉見請辭，結果與劉院長的對話重複了一次，只好苦撐。

　　第一次參加立法院總質詢，某立委即要求承諾在任內不漲健保費，本人回以二代健保公民會議結論：「健保不能倒，醫療不能少，費用不能漲，那只好請上帝或佛祖來當署長。」立委無言以對，本人從容走下備詢台。

各界合作，終能無痛調漲

　　然而和前朝扁政府時期相同，為了調整健保費，我一再向院長提出各種精算及方案，卻一再的碰軟釘子。署與院不同調，媒體多有報導，馬總統只好來電召見，在小型會議室討論，另一人為當時總統府副秘書長高朗。

　　本人簡要報告健保財務及調整保費的必要性，特別強調若不調整，再來的總統大選期間，健保虧損必在千億以上，將成為大選期間重大議題，嚴重影響選情。於是健保費率從4.55%調到5.17%，投保薪資上限從13萬調到18.2萬（部長薪水）。期間當然有不少「民粹」枝枝節節，及北高兩市地方政府欠費等問題，然而2012大選，完全沒有健保議題。

　　過了總統、院長兩關，民眾方面更為重要。為了順利調高健保費率，不論哪個媒體或團體邀請，我一定親往說

明報告。尤其希望基層民眾了解，投保薪資上限18.2萬，是3萬者的6倍，但就醫時兩人待遇完全相同，健保財務穩定對基層民眾最為有益。至於低收入及中低收入者，政府本來就有各種補助減免辦法，更不受影響。

衛生署又製作三張彩色海報，張貼各醫院診間，比較台灣及各國醫療費用，及中、低收入者健保的獲益情形。李家同、孫越、陳樹菊、林納修（獼猴爺爺）等社會公益人士，均免費拍攝短片，說明健保效益及調整費率的必要性，製成光碟要求各醫院在診間播放。

半年後的2010年4月，費率從4.55%調到5.17%，健保財務獲得極大挹注，馬上由虧轉盈，累積安全準備金。至於二代健保又是另一個「故事」，因為不能實施家戶總所得，所以增加了2%的補充保險費。

經過這兩項努力，健保安全準備曾達到4.69個月，超過2,400億。然而台灣再不到10年，就要成為「超高齡社會」，20%為老人，用錢的人多，交錢的人少；需要照顧的人多，能照顧的人少，不出5、6年，健保又要面臨財務危機。

而各縣市長仍在倡議65歲以上免健保費，健保不倒，民粹不止，中華民國怎能不亡？

27

解決五大皆空，
關鍵在醫院

為使醫院充分自我管理，
健保體制將醫療費用直接付給醫院。
取長補短，讓每一科都有符合勞逸的合理待遇，
是醫院管理者的責任。

　　前任監委黃煌雄關切全民健保，曾經耗費大量人力及經費，從事健保總體檢。結論是解決台灣醫界「五大皆空」現象的兩把鑰匙，一是提高五大科的支付標準，並將健保總額成長率提高到空前的6%；二是推動「醫療過失刑責合理化」。這兩張處方固然會有一定的效果，但可惜的是，並未真正解決問題癥結。

　　就如同諾貝爾經濟學獎得主克魯曼（Paul Krugman）所言，台灣健保的主要問題是投入不足，因此提高對健保的投入確有必要，也應依醫師心力與時間的投入，調整支

付標準表，但如此是否一定可以增加醫事人力及提升照護品質？答案是否定的。

　　近年來，除2010年情況特殊，每年健保總額增加率多大於GDP成長率，每年醫學系畢業生也在1,300上下，因此錢、人都不缺，各大醫學中心、區域醫院每年也多有結餘。再以護理人力為例，衛福部自2009年迄2012年為止，共撥付護理專款達47億之多，但護理人力改善甚微，原因何在？錢到哪裡去了？

　　道理很簡單，健保體制並非將醫療費用直接付給醫事人員，而是支付給醫院，由醫院統籌重新分配。而醫院的成本除了醫事人員薪資之外，至少還有水電空調、設備折舊、掛號批價、行政管理等等，醫院從來不是完全依健保支付標準付給醫師薪水。因此五大科支付標準提高了，但醫院是否隨之提高這些科的待遇及執業環境，是另一件事。

管理心態不改，再高的支付標準也枉然

　　為使醫院能充分自我管理，健保署不能也不宜直接支付醫院醫事人員薪資，因此問題在於若干醫院領導者的心態及作為。例如醫院協會前任理事長竟公開宣稱醫護人員就應該是「血汗員工」，將財團法人醫院比照鴻海企業，視為個人擁有的營利事業，而忽略財團法人為公共的醫院，享有多項租稅的免除。此管理心態不改，再高的支付

標準也無法改善醫療執業環境及醫事人力。

　　事實上，除了五大科之外，醫院中其他的科別如五官科、皮膚科等等，以及許多昂貴的檢查項目，都是易有盈餘的。取長補短，讓每一科都能有符合勞逸的合理待遇，本就是醫院管理者的責任。因此胡蘿蔔有了，棒子也不能沒有，衛福部應訂出標準，只要醫院還有結餘（目前中、大型醫院確是如此），就必須提供醫事人員適切待遇與工作環境，規定每年要引進多少住院醫師等，否則醫院評鑑不予通過。

　　另外，台大醫院財力、人力雄厚，不能留住傑出的外科醫師，也應是醫院內部問題多，外在環境影響小。財團法人醫院為公共的醫院，其規範管理遠比營利的上市上櫃公司為寬鬆，缺乏監督，應為衛福部另一項極待改革的事項。此外，總額支出增加了，醫界皆大歡喜之餘，是否也該想想「錢從哪裡來」？設法解決健保財源問題，以免淪為「頭痛醫頭，腳痛醫腳」之舉。

28

享受別人的犧牲，
就是可恥

放任少數人以占盡他人便宜為樂，
也不勸阻及舉發醫界或民眾的醫療浪費，
則美好的健保必然不能永續。

　　為確保全民有保，就醫無礙，避免因貧而不能就醫，
不論法令規章、行政執行或民間志願團體，可說盡了一切
努力。

健保費，已是世界最低

　　在法令上，二代健保法規定，除非健保署（保險人）
能證明被保險人有能力繳保險費卻不繳納，才可以扣卡。
且又有不少但書，如20歲以下；已辦妥欠費協助；特殊處

遇（如家暴）；需住院、急診、急重症門診，均不得扣卡而需給予醫療。若不屬於低收入戶的近貧者（低收入邊緣戶），只要有村里長證明或特約醫療院所證明，均不用扣卡，依然享有全民健保的就醫。另還有紓困貸款及民間捐款愛心專戶，以保障人人享有健保。

全民健保2013年的醫療支出約5,200億，平均每人的醫療費用約2.3萬，政府以稅收支付1/3以上，因此每人全年的健保費負擔平均不到1.5萬。一般地區人口每月749元，每年8,988元；農民為338元，每年4,056元（美國健保費用依加入的計劃不同，差異甚大，平均一個人大約也支付此數，只不過單位是美元而已），這是在享受目前台灣的醫療水準下，最便宜的健保費了。

然而我曾聽到某甲對其朋友說，他平日都不繳健保費。原因是他雖然知道健康保險的重要性，但因平常很少生病，就算有也只是小病，花個幾百元就好了，每年可以省下近9,000元；萬一生大病，只需補繳過去5年的健保欠費就可就醫，因此不愁重病得不到醫療，言下頗為自己的「小聰明」自豪。

另一位朋友的朋友，家中有近千坪的庭園，花團錦簇、洋房古色古香，絕對是億萬豪宅，雇有外傭打掃、洗衣煮飯。因當年購買農地需有農民身份，因此至今仍是農民，先生則是公務人員退休。這位「農友」每年只交4,056元健保費，還洋洋得意，說這些錢只夠在五星級飯店吃一餐日本料理。

人人規避健保費，全民健保必倒

　　凡是每年繳健保費少於1.5萬，且自認經濟狀況不比一般人差的，就是占他人便宜，是可恥的行為。若是人人如此規避健保費，重症醫療的費用從何而來？全民健保必將倒閉。我因此當場強力勸她至少應將差額捐給健保愛心專戶，以彌補虧欠，此捐款還能從綜合所得稅申報中扣除，其實捐的也比實際金額少。

　　目前全民健保有83萬人欠費，其中必然有少數是在前述各種確保人人有保的辦法下，仍然沒有照顧到的；但大部分是享受別人犧牲（包括假農民，及用各種方法以多報少），占盡便宜的小人。這些人需要大家共同譴責，因為有人占了不當的便宜，相對的，就是其他人多負擔了。醫療浪費，不論是在醫方或在病患，也都是大家的損失。

　　其實台灣守法珍惜健保者絕對是多數，超過2,200萬人都按時繳費，保費收繳率比守法的日本人有過之而無不及。台灣的醫療浪費雖處處可見，但尚不及WHO的報告所稱，全球至少有20-40%的醫療是完全浪費；美國的研究發現，醫療浪費一年超過6,000億美元，而台灣健保一年的總費用也不過200億美元。但若放任少數人以占盡他人便宜為樂，不隨時加以規勸甚至譴責，也不勸阻及舉發醫界或民眾的醫療浪費，則美好的健保必然不能永續。

29

假農民可恥又可惡

假農民享津貼補助，健保只交338元，
占盡全民便宜，是為可恥。老農派立委，
為了幾張選票，禍國殃民，是為可惡。

　　台灣的鄉間路旁或網路上，常見到這樣的廣告：「買農地，享農保，休耕領補助，65歲以上每月領7,000元老農津貼」。就是因為當農民這麼容易、這麼好康，造成台灣帳面上有145萬農民，但真正從事農業的人口只有54.4萬，假農民高達90萬人。這些假農民占盡你我便宜，大大傷害了國家財政及農業發展，怎不令人生氣！

　　依現行法規規定，只要擁有0.1公頃農地（約一分地，300坪）或租賃0.2公頃農地，實際農作90天以上（誰來查？）年銷售農產品3萬6百元以上（找張收據還不容

易？）就可擁有農民身分、參加農保。當了農民，健保費每月只要338元，2014年以前參加農保且年滿65歲以上者，每月可領7,256元老農津貼。農地不想種，就讓它休耕，每分地每期稻作可領休耕補助4,500元，二期就是9,000元。

鑽法律漏洞，農民滿街走

擁有農地不耕種，既不需出力，又可以領錢，因此全台有20萬公頃的休耕農地；有位休耕大戶五年領取休耕補助千萬元。2014年農委會預算共1,240億，休耕補助就花去百億，福利支出（老農津貼為主）更高達494億，占總農委會預算的40%，而真正對農畜牧業發展有益的輔導，卻只有76億（6%）的預算。

有閒錢買農地的假農民，當然不會滿足於只買一分地。2000年農發條例修正後，0.25公頃（二分半地）以上的農地才可以蓋農舍，但是對2000年之前即持有農地的老農，並無此規定，於是許多仲介、建商鑽法律漏洞，專找不受此限制的老農，先申請建照，建造一、二坪（農地1/10）的「狗籠農舍」，等使用執照到手，有水、有電之後，再找買主擴建。於是現在所謂「農舍」者，已變成鄉間別墅的代名詞。

當農民、建農舍如此容易，但不論是浮濫的農保或豪華農舍，都對農民權益及農業傷害甚大。因此2011年政府

曾想限縮農業用地興建農舍辦法，不想藍委及一些所謂老農派立委，竟群起反對，只因如此將使農地價格下降。

砍掉假農民，照顧真老農

台灣曾經歷過一段以農業培養工業的時期，當時政府將糧價壓低，低於國際價格，又把肥料價格抬高，高於國際價格，並規定肥料不能用現金購買，只能以穀物換取，農民等於被兩頭壓榨。此舉用意是米價低，一般人的工資也就隨之被壓低，有利資本家發展工業，才有日後台灣的經濟起飛；同時政府掌握充足米糧，軍、公、教發配給米，雖然薪水低，但至少大家都有飯吃，有利「統治」及安定社會。

在此背景下，當時的農民犧牲的確甚大，今日他們成了正牌老農，領老農津貼不但不為過，政府且應加碼提供更多如長期照護等福利措施。這麼做的錢從哪裡來？那些被假農民「詐騙」走的各式津貼就綽綽有餘了，剩餘的錢還可用來獎助有志「小地主，大佃農」的年輕創業農民。

假農民口袋不淺，少則幾百萬，甚至千萬，有錢買農地蓋豪華農舍，但又享津貼補助、健保只交338元，占盡全民便宜，是為可恥。老農派立委，譁眾取寵，為了幾張選票，堅決反對通過農保條列修正案，禍國殃民，是為可惡。

30

什麼？綠營在推動
一國兩制！

綠營主張一邊一國，中國學生就是外國學生，
為什麼不能適用「健保法」規定納保呢？

　　陸生納保一事，多次被提出吵翻天，遭到台聯黨的強
烈反對及杯葛。這件事一直讓人好生疑惑，綠營不是主張
一邊一國嗎？既然中國是另一國，中國學生不就是外國學
生嗎？「健保法」規定，外國學生只要居留滿六個月，都
是以一般居民第六類被保險人納保，為何唯獨中國學生不
能適用？

外國學生納保，是健保賺到

　　深綠的台聯一再說，陸生納保是佔台灣人的便宜。事實上，健保署已不知對他們說明了多少次，外國學生每月保險費1,249元，自付60%，749元，政府補助40%，500元，因為國外學生入境都經過出國地及台灣雙重體檢，不可能有傳染病，身體健康，因此外國學生納保後，每年醫療費用連自付的749元都沒用完，根本是台灣的健保賺到了。但先說先贏，民眾哪有那麼多心思去了解真相，台聯就如此獲得深綠的選票，陸生也就被貼上了標籤。

　　綠營又說陸生納保是享受台灣的國民待遇，應該是有簽約互惠的國家人民才可以有。但多數先進國家如英國、日本，甚至多數的北歐國家，對健康照護是用居民的概念，早在台灣實施全民健保之前，在當地的台灣人，只要是合法居留，特別是留學生，就享有與該國國民一樣的健康照護；外籍勞工也是一律納保（這是ILO國際勞工聯盟的規定，雖然我們不是會員），也沒有與台灣簽什麼約。

　　其實民進黨早深知其中的道理，但為避免不夠綠，又不願被認為逢中必反，因此曖昧的說不反對陸生納保。陳建仁當過衛生署長，對各國都將合法居民納入健保有一定的認知，因此贊成陸生納保，但要全盤修改「健保法」。一旦走上修法這條路，最少要再等10年，甚至等到地老天荒，既擋下陸生納保，又不得罪藍營及中間選民，真是一記高招。

兩岸統戰手段眼光，高下立判

多數國人不贊同或反對的是中共政權，人民無罪，陸生因認同台灣的教育才來學習，當然也是無罪。既然讓他們來了，為何不讓他們好好了解、學習台灣的民主、多元、自由、開放與包容呢？讓他們來了，體驗到的卻是台灣人的小器及排斥，甚至產生惡感，所為何來？

中共統戰台灣深謀遠算，而若干綠營卻反而讓來台陸生體會台灣倡言的開放、自由與人權，不過是口號而已。中共是統戰高手，在90年代初，就每年耗費鉅資，邀請以台大醫學相關科系為主的台灣醫學院校，前往大陸參觀研習，完全免費。赴北大念書的台灣學生，獲獎學金者比比皆是，而台灣卻對來台陸生多方限制，有謂若給陸生獎學金，就損害了台灣學生的權益，令人感嘆雙方眼光、手段差距之大。

美國在台灣普遍貧窮的年代，提供不少高額獎學金名額給台灣學生，不少人返國後位居要津，開始影響台灣全盤接受美國的社會價值觀，對台灣民主化、多元開放、注重人權有極大的影響。西方國家提供開發中國家年輕人教育機會，以根本影響他們政治、社會及思想體制，翁山蘇姬也是一個明顯的例子。

但陸生們也千萬不要對台灣失望，國民黨爛，即使在國會是多數，也沒法通過什麼像樣的法案；綠營則每每今日之我，否定昨日之我，明日又將否定今日之我，核四、

國光石化、ECFA不都如此？所以才會昨日反對一國兩制，今日又讓外國學生與中國學生待遇不同，這不正是在推動一國（台灣）兩制嗎？

31

縣市長民調誤導施政

媒體的縣市長民調，
完全用「印象」及「感覺」打分數，
忽略客觀指標，誤國誤民，又是一例。

　　國內某著名雜誌，每年從事縣市長民調，用以針砭各縣市施政。這項調查抽樣訪問民眾對縣市長施政的滿意程度，事實上所得結果只是民眾的「印象」及「感覺」，是否可以真正反映施政績效，不無疑問；更令人擔心的是會誤導了縣市長的施政方向。正如該雜誌自己分析，想要獲得高滿意度，推動縣政只是基本，重要的是不要有負面事件衝擊，就算有，只要沒有媒體大篇幅報導，也就無大礙；若能舉辦高曝光率的大型活動，或推動大型建設，則是可以大大加分。

中華民國如何不亡!?

欠債越多，滿意度越高

　　所以，為了提升民調中的施政滿意度，首先媒體公關一定要做好、做滿，一項工程開工可以開二次，落成可以剪綵三次，還要把議員、鄰里長、椿腳全找來，感謝每個人的功勞，總之要熱熱鬧鬧讓所有人都知道，縣民才會「有感」。

　　在預算方面則要雨露均霑，各派系、椿腳、黑白兩道都要打點；各種小型工程，樹砍了再種，人行道挖了再補，創造「就業機會」及「商機」。只要臨海，每鄉鎮一個漁港，舢舨一、二條，漁船半艘也沒有，淤沙倒是填滿港，美其名曰「建設」。最好再來個文化中心，若能像屏東弄個機場更佳，至於是給人用還是給蚊子用，都是以後的事。

　　還有65歲以上老人健保免費，春節、中秋、重陽節每人發1,000等，更是「德政」，不論是家財萬貫還是每月領幾趴，都要一視同仁。然而台灣老人已超過14%，再過10年就超過20%，未來年輕人不知要繳多少保費及稅，這些「德政」才能永續。

　　為了騙選票，為了贏得高滿意度，各種形形色色的福利，不斷被丟出去，而且再不可能收回來，因為只要接任者一停，滿意度必然大幅下降。另一方面，該抽的地方稅，能不抽就不抽，因為稅越低，滿意度也必然越高。結果就是越能借債、撒錢、債留子孫或下一任者，滿意度越

高，選票也越多，連任可能性越大。反正不能選第三屆，未來縣市政怎麼過下去，就是別人的事了。

舉一例，在大埔案之前，藍營民調最高的縣市長是苗栗縣的劉政鴻。他把縣庫掏空，舉債也到上限，新任縣長接任，才發現縣庫早已一空，連縣府員工的年終獎金都幾乎發不出來。不但縣市如此，中央政府也不多讓，目前中央政府舉債已達上限（2014年不得不來個財政穩定方案，緊急加了600億稅收，度過難關），下任總統開門七件事還有得頭痛的。報章雜誌媒體誤國誤民，這又是一例。

因此媒體的施政滿意度評量也該改一改了，客觀指標應嚴肅納入考慮，且這些指標也不難獲得，各雜誌媒體不用，也是太懶、太混了吧！

善用客觀指標，才可導引施政良性發展

首先是縣市的財政，是更多舉債、債留子孫及下一任，還是逐年改善？再者是幼兒可上公立托兒所、幼兒園的比率；失能老人獲得長期照顧的比率；自殺率（負向指標），特別是老人自殺率；學童享有營養午餐的比率；中、小學雇用代課老師、鐘點老師的比率（負）；無殼年輕人能購屋的比率；青年人失業率（負）；無健保卡人數比率（負）；虐兒棄兒件數（負）；違章建築新增數（負），違建拆除數；盜竊案件數（負）；意外死亡人數（負）；交通意外傷亡數（負）；家暴案件數（負）；中小

企業增加的家數及就業人口的變動。

　　這些指標依公民會議討論給予權重，至少應占總體滿意度的50%，可與前年度比較，也可與上一任縣市長的績效比較。若依此對縣市長施政做評比，必然能導引縣市長施政朝向良性發展。首要便是增闢財源，合理分配預算，將有限資源用在刀口上，以民眾基本需要施政，如此必然為國家之福。

　　不該花的錢一直花，該抽的稅不敢抽，各縣市早就欠一屁股債，如台北市負債1,651億、高雄市2,211億、新北市999億、台中市544億、台南市644億，其他不一而足。另一項政績就是研擬各種民粹建設，然後向中央要錢，如中央不給，就怒目相向，因為總統大選，縣市長就是最大樁腳。幾年下來，中央越來越窮，錢都去照顧諸侯去了。

32

原料、製程不對，
就是不合格

食品安全應該堅守最嚴格的標準，
只要不是為了人的食用所種植、生產的，
就是不合格，沒有一絲模糊空間。

　　人命關天、健康第一，食品安全應該堅守最嚴格的
標準，只要原料不對，例如是工業用或動物用，不管如何
精煉、如何通過檢驗，就是不合格。製作過程也一樣，例
如裝廢棄物的桶子，不管洗得再怎麼乾淨，就是不能用在
食品容器。這是鐵則，絕不容許一絲模糊空間，更不是靠
「檢驗合格」可以蒙混闖關的。

　　　　　　　　　　　中華民國如何不亡！?

檢驗只是最後防線

為什麼？道理很簡單，地球上有害人體健康的有毒物質，不論是化學的、生物的或是物理的（如放射物質），種類之多不可計數，每樣都要檢驗，實務上不可能做到。真要如此，只怕人類沒有食物可吃，也沒有食品工業了。例如牛乳中本來就不應該有三聚氰胺，因此以往不會列入檢驗項目，直到有黑心商人添加了，才只好加入。

所以食品的檢驗，是在原料及製程都合乎規範的前提下，對產品從事幾項指標性的檢驗，作為最後一道關卡。

例如在生鮮食品生物性的污染方面，通常只檢查大腸桿菌一項，只要超過標準，就是受到汙染而不能食用，不必再檢查是否有霍亂菌、傷寒菌、肉毒桿菌等等。當然，若霍亂流行，則必然加檢霍亂菌。在化學的毒害也是如此，通常只檢驗幾種在台灣特別常發現的農藥、抗生素等等。總而言之，檢驗只是最後手段，如果早在原料及過程就不合規範，根本不用檢驗，就是不合格。

原料就不合格，沒有討論空間

頂新獲判無罪，引起激烈討論，有人認為又是恐龍法官，有人認為不可民粹，法官是以無罪推定判案，檢察官要負舉證責任，而不是由被告承擔提出沒有犯案的證據，否則必然屈打成招，每案必破，且可一案兩破。食品藥物

管理署及檢方未能在一開始確切掌握越南的原料來源，是不是能供人食用的油脂，只由彰檢到頂新屏東油槽採證，以快篩法檢驗，並發佈說「檢驗合格」，無法做為法律認定違規的依據，似乎顯示法官判案並沒有違背證據原則。

　　但如同文章一開始所說的，只要原料不符標準，就是不合格的食品。檢驗只是最後一道且十分鬆散的防線，根本不該當做判案依據。彰化地院說頂新油槽油品是未精煉的油品，雖被檢出重金屬，但重金屬可藉精煉過程去除，成品未必含有重金屬，所以判無罪，實在是大錯特錯。網友以「照此邏輯，大便高溫高壓消毒後，也可檢驗合格供人食用」譏諷，不無道理。

國際科學文獻就是最好的證據

　　另外兩個案例也顯示，不少法官只是抱著條文判案的法匠。一案是塑化劑團體求償，法院輕判，因消費者無法證明身體受害來自違法添加物。另一案為彰化地院駁回台糖向大統長基進貨的橄欖油，因含有銅葉綠素，造成台糖重大金錢及商譽損失的賠償要求，理由也是未能舉證銅葉綠素橄欖油造成人體傷害。

　　法官沒有知識，也要有常識，不少有毒物質在人體的作用是長期累積，作用緩慢，等到對人體產生明顯症狀，不知何年何月。因此只要嚴謹的國際科學文獻已經證明，達到一定濃度就會有害人體，並經WHO、美國FDA、歐

洲食品安全局（EFSA）認定的有毒物質，就是最好的證據，根本不必修法就應引用據以判決。

　　食品藥物管理署及檢察官不可官僚便宜行政，法官更不可食古不化，活在侏儸紀，否則民眾難有食能安心的一天。

第二部

中華民國如何不亡？

33

左派好？右派好？

從歷史經驗中可知，左派、右派各有優缺點，
關鍵仍在執行者。台灣要如何才能像北歐國家一樣，
成為高水準的社會主義國家？

　　歐美憲政穩固的國家，大多左派、右派輪流執政。右派主張小政府，對經濟民生介入越少越好，政府功能只在公共衛生、維持社會秩序及公平交易。當然福利措施能少就少，隨人顧性命。但每易造成貧富差距擴大，有錢就容易有權，有權就可改變公平正義的規則。如最近美國有錢人就可買「名校」入學許可，教育及財富世襲，有才能者再努力也不得翻身，即所謂市場失能。

　　若干時日，左派就來個大翻身，要求政府介入更多的人民生計，擴大社會福利，投入更多且普及的教育。如

中華民國如何不亡！？

此必然造就更多的公營事業，更多的政府部門，形成大政府。

為因應這些需求，稅賦必然提高。然而大政府常陷入官僚及無效率，民眾習於吃大鍋飯，經濟成長遲緩，政府稅收萎縮，福利反而減少，是謂政府失能。只好再由右派政府執政，將公營事業民營化，甚至連監獄都外包民營（如美國若干州），左右再度循環。

左右平衡中，穩定前進

最典型的例子是英國。二戰前是高度階級化的國家，二戰期間，英國倫敦等地區受納粹重創，醫療體系打破一切階級，全面動員，即使女皇也得真情或假意，參與救死扶傷。

戰後民眾認為皇室及英國得以「存活」，是全民的功勞，即使二戰大英雄邱吉爾也得下台，1945年工黨全面執政，1948年實施NHS（台灣稱「公醫制度」），全民享有相同免費的醫療。

此左派政府多次擴大公營事業及福利措施，官僚及無效率導致經濟遲緩，低於美國及鄰近國家。1979年柴契爾夫人的保守黨執政，與雷根隔海對唱，實施新自由主義，將大量公營事業民營化，減少社會福利及減緩介入各項經濟活動。結果活化了經濟，唯一不敢動的是NHS，但也創造醫療體系內部市場，增加醫療內部的競爭。

美國的民主、共和兩黨亦是如此，民主黨強調公平與福利，共和黨強調競爭與效率。民主黨嘗試辦全民健保，共和黨則一向反對，二黨也是輪流執政。歐、美、紐、澳等先進憲政國家，也大多是如此。

　　上述這些國家，民主根基深厚，所謂左派右派，其實只是中間偏左或中間偏右之分，國家仍不斷往前發展。

失控的極左 vs. 極右

　　泰國則十分有趣，紅衫軍是以農村及基層民眾為主，人數多，黃衫軍是中產階級工商界為主。在比人頭的選舉，常常是紅衫得勝，然而治國無方，貪污盛行，讓黃衫有機會用軍事政變奪得政權。所幸因雙方都尊崇老皇，因此常常是亮槍而不開槍，皇帝說了就算。因此雖然一再民選又政變交替，倒也能夠在動亂中往前進展。

　　最慘的是中南美國家，在美國主導反極左的共產之下，極右的軍事獨裁者，殘酷殺害異議人士，罄竹難書。人民不堪壓迫，只好革命推翻獨裁政權，然而民主政府施政無方，變調為民粹治國，反而民不聊生。

　　例如阿根廷、委內瑞拉、智利、古巴等等國家，皆是如此。茉莉花革命推翻右派獨裁軍事政府，但左派民選政府無能，導致再度軍事政變，一切回到原點。今日如果詢問利比亞跟伊拉克的人民，恐怕多數寧可要海珊及格達費的獨裁統治，也不要今日的流離失所，不斷的命喪地中海

上或岸邊。

　　世界上最幸福的國家，只有斯堪地納維亞半島數個小國，社會民主主義依循維京海盜的傳統，不放棄任何一個夥伴，也照顧死去夥伴的家人。高福利、高稅賦、政府廉潔有能，宛如人間天堂。

中國，歷史悲劇反覆發生

　　在中國，清末民初，西方列國工業革命，資本主義興起，孫中山先生一方面鑒於列強對中國的壓迫，且觀察西方資本主義下，各國勞工，包括女工、童工的悲慘命運，及國內地主對農民的剝削，因此主張節制私人資本，發達國家資本，土地漲價歸公等等，是標準的左派、社會主義者。

　　其追隨者甚至主張聯俄容共，但不容於實際掌握黨政軍權的蔣介石等，造成寧漢分裂。抗戰前由於貧富差距，而有1925年上海勞工暴動，1927年農民秋收暴亂，雖是共產黨人點的火，社會背景仍是主因。

　　對日抗戰則是以民族主義戰勝侵入者，然戰後蔣、孔、宋、陳則是右派政府，與工、農、兵脫節。共產黨因為接地氣，短期席捲大陸，然而之後的極左、三反、五反、大躍進、人民公社，反倒傷亡無數。極右、極左相互激盪，造成了歷史悲劇反覆發生。

　　1949年蔣氏來台後，深切反省，實施三七五減租、耕

者有其田，發達國家資本，發展公營事業，如台糖、公賣局（台灣菸酒公司）、公路局、鐵路局等。十大建設亦是如此，如中船、中鋼，由一批傑出的技術官僚主導建設，經濟突飛猛進。

　　台灣在快速工業化階段，其實是以農養工，資本家興起，勞工、農民成為被犧牲的一群。然而因為九年國教、大專聯考，促進階級流動，生活大有改善，因此大多數農民、勞工仍支持國民黨。反對政府者多為都市白領階級及中小企業主，因為言論自由及社會參與受到黨國體制壓制。

從藍綠之爭，到階級對抗

　　國民黨的黨國體制，雖因政黨輪替而被推翻，但繼任的民進黨，其「黨國體制，以鬥爭為綱，贏者通吃」，綠出於藍。原本「勞工是心中最軟的一塊」，但上台之後高度偏向資方，使得台灣經濟一直有成長，但錢都進了資方口袋，勞工薪資十數年凍漲，占GDP比率不斷下降，所以執政當局再怎麼宣傳經濟指標如何優異，民眾當然無感。

　　為了讓民眾快速「有感」，挽救低迷的滿意度，騙取選票，只好不管有錢沒錢，是否還得了，先閉著眼睛大放利多再說，就像最近的農漁子女獎助學金加碼三成，且刪除成績須達標的規定；計程車舊換新最高補助35萬；每包肥料降價20元等等。財政紀律、世代公平正義（債留子

孫）、文官體制、環境保護（農林地蓋工場，工業區閒置炒地皮）一切皆可拋，變成了「左皮右骨」四不像的民粹政治。

民進黨在高雄當權了20年，一向視之為鐵票區，沒想到不敵空降的韓國瑜一句「貨出去，人進來、高雄發大財」，執政黨精英越是打壓，韓的人氣越旺，幾乎成為無敵鐵金剛。很多人對此「韓流」現象不解，其實就是因為這已不是藍綠之爭，而是基層對統治者及富有者的「階級對抗」。

從歷史經驗中可知，不管左派、右派都各有優缺點，所以才會像鐘擺一樣來來回回，關鍵仍在執行者。台灣外有強敵，內政一塌糊塗，所幸民眾水準高、底子厚，才能支撐到現在。國民黨如果再次奪回政權，會改變嗎？台灣是否有一天能像北歐國家一樣，成為高水準的社會主義國家？實有賴各社會賢達集思廣益，共同努力了。

34

四根支柱救台灣

清廉施政、公平加稅、合理漲價、

照顧弱勢四根支柱，撐起社會正義，

才能奢談愛台灣。否則，一切都是空談。

　　過去我們常誇「台灣精神」，指的是勇於築夢、踏實
打拚的精神。現在的台灣精神是什麼呢？老實說我不知
道。我跟學生們討論如何築夢踏實，我告訴他們：築夢就
像蓋房子，一定要先把支柱立起來，有了支柱就可以搭牆
面、層層疊疊築起高樓。我也想問我們的政府：我們國家
的支柱是什麼？

　　就我個人在政府服務多年的心得，我認為當急之務要
從內部挺健起來。應加速立起四根支柱救台灣。

第一根支柱：清廉施政。

有人說「錯誤的政策比貪汙更可怕」，我則認為「貪汙比錯誤的政策更可怕」，因為貪汙就不可能有正確的政策。政府高層除了自身清廉外，尚且要立起清廉支柱，勇於打破共犯結構，則逐漸上行下效，或有全面改善的一天。

第二根支柱：公平加稅。

台灣十數年來經濟成長不少，但薪資等勞動所得，幾乎紋風不動甚少增加，反而讓以錢賺錢的資本家大發利市荷包滿滿。若在10年前「有膽」買一戶帝寶，每坪80萬，睡10年覺醒來，一坪漲到200萬，以平均每戶百坪計，就輕輕鬆鬆坐享1.2億的資本利得，且通常只要繳少許的稅，就可扎扎實實的入袋，不需像受薪者一分一毫收入，都需抽稅納貢國庫。

台灣萬萬稅，但全國稅收占國內生產毛額GDP僅13％，是韓國的一半，是美、日的一半不到，英、法、德的稅收均占GDP的1/3至1/4。因此台灣政府掌握的資源其實很少，本質上是小政府及極右派政府，也就是隨人顧性命的國家。可是另一方面，藍綠兩黨在競選及施政時都有志一同，濫開支票從不手軟，導致赤字預算日益惡化，國債與日俱增令人擔憂。

一提到加稅，各政黨避之唯恐不及，特別是執政黨更是如此。稅改會失掉政權，但一個黨失掉政權，總比國家不斷弱化，終至失掉國家要好。目前的財稅制度不但缺乏當代正義，更缺乏世代正義，過去30年，兩黨執政方式完全相同，非常不可取。但就如同全民健保，只有國民黨才能實施，也只有國民黨才能通過二代健保（這兩項民進黨均毫無作為）。希望稅制改革也是如此，能夠公平的提高稅賦，以提升到占GDP20％為目標（約增一萬億），不但讓教育有足夠的經費，提升對弱勢人群的福利，且有經費加強國防，也要逐年降低國債，不要債留子孫。

第三根支柱：合理漲價。

政府媚俗不務實，對於民生物資漲價採取鴕鳥政策，讓民眾誤以為我們生活在一個物產豐富的國度。如果油、電、水的產製成本沒有比其他國家高，但因國際原料漲價，油、電、水就應合理漲價。長期以來政府採低價政策，造成的虧空仍是全民買單，而且使用油、電、水多者多為富人，是劫貧濟富。至於對於貧窮者則應提高其金錢補助，讓其自行購買。

另一方面應高額補助公共交通工具，目前中、南部因政府不再補貼，甚多客運路線停駛，居民及老人家出門十分不便，特別是造成就醫的困難。住在台北的朋友，只要到中、南部的鄉鎮，沒有自行開車，就可體會交通困難的

程度，並知道住在台北都會區真的太幸福。

第四根支柱：照顧弱勢。

有人說台灣的社福支出占政府支出比率不低，其實其中大部分是軍公教退撫的經費，及補助各類被保險人的健保費，實際上對貧困者的救助還是很有限。台灣政府對低收入的定義相當嚴苛，至2010年底，只有1%最貧困者被定義為低收入者，才能得到生活上的救濟。新的「社會福利法」已經將比率比照韓國提高到3％，但即使如此，比歐、美等國家的5％或10％還是遠遠不及。因此台灣有很多低收入邊緣戶，經濟稍不景氣或家中小有變故，馬上陷入困境。

透過清廉施政、公平加稅、合理漲價、照顧弱勢四根支柱，撐起台灣內部起碼的社會正義，才能奢談愛台灣、拚兩岸、放眼國際。否則，一切都是空談，不如歸去。

35

聚沙成塔，照顧老與幼

5元、10元，積少成多，專款專用，
才能讓稅制不健全的台灣，
也能安心扶老、育幼。

　　北歐社會福利國家，政府資訊透明公開，幾乎未聞貪腐，更少蓋蚊子館，因為政府對民眾照顧周全，民眾樂於繳稅，稅收常在40-50%間，是民主國家的幸福典範。

　　台灣好像是相反，在蔣經國之後，歷任總統追隨美國，採新自由主義，不斷降稅；民主化伴隨民粹化，福利只能加不能減，政府稅收占GDP比率只剩13%，為先進國家中最低者，只及韓國之半。號稱民主化了，但政府變得又小又窮，人民面臨老無所終、幼無所養、青壯無房的境地，因此對執政團隊的滿意度，比在威權時期還差很多。

老無所終，幼無所養

　　台灣目前有七十幾萬失能的老人（飲食、如廁、穿衣、沐浴、移動，不能自理一項以上者，沒有人照顧不能生活），且不斷快速增加中。政府只協助照顧了十幾萬，其餘二十幾萬經濟尚過得去的家庭，請了外勞，四十萬以上由家人照顧。家中提供照顧者常因身心過於疲累，體力、金錢負擔過重，而有照顧者殺害被照顧親人的事件，包括夫殺妻、子勒母、兄弒弟等，這些「兇手」不是馬上投案就是自我了斷。台灣老人自殺率較年輕人高出很多，且隨年齡增加而增加，台灣已成為不折不扣的老無所終，是老者的悲傷之地。

　　在孩童方面，想進公立幼兒園及托兒所，比購買江蕙演唱會的票還難，全台只20%多，有的縣市只10%多，對22K的年輕父母而言（60% 30歲以下的受雇者，月入不到3萬），送幼兒至私立幼兒園與托兒所，要耗掉夫妻一人一個月以上的月收入，還有誰敢生兒育女？

　　至於年輕人要買房，更是難於上青天，台北房價是平均年所得的14倍，世界第一（德國人所得是台灣3倍，但房價是台灣的1/3），可見台灣財經及居住政策是錯誤到何等地步，這是「國」、「民」二黨近20年輪流治理台灣的結果。

　　然而提到稅改，部長一定下台，政黨若稍有堅持，選舉必定大敗。這些富有的爺們，炒房炒股不但在行，且早

已掌握多數「利委」及媒體，只要一提稅改，各種似是而非謬論一堆，一定設法將之打到趴為止。

以證所稅為例，固然辦法上有不夠周延之處，例如境外法人在證所稅稽徵範圍外，國內大戶就紛紛成為境外投資人。更厲害的是大戶們縮手，讓股市失血，不斷下跌，引起散戶、菜籃族恐慌。雖然他們都不是證所稅課稅的對象，但反而匯成巨流，群起反對證所稅，這是第二次胎死腹中，未來恐再也沒有官員膽敢動炒股利得一根毫毛。

稅制不健全，只能另行籌資

既然財政部官員無用、無能，這些阿土伯、阿才伯或阿水伯們，又只會反對稅改，從來不教教財政部如何健全財政，則社會瀰漫反商仇富氛圍，何只必然？社會階級及世代間矛盾不斷擴大，如此下去難保沒有人發起階級鬥爭，甚至揭竿起義。既然加稅不成，就提議比照WHO的建議，對稅制不健全國家如何籌資照顧老、少、青壯，建議如下：

① 每筆證券及期貨交易扣10元，每年120億以上充長期照護費。

② 每筆提款（包括ATM）多加5元，可使全國幼兒均可上公立托兒所及幼稚園。

③ 每戶住宅每年房屋稅加1,000元（低及中低收入戶免

除），每年至少80億。父母只一戶住宅者，補助首購族屋貸利息1%，可產生8,000億貸款，消化全台大量空屋，而不必興建社會住宅，增加空屋，將大量社會財富凍結在無人使用的鋼筋水泥上。

這些小額費用就是「指定用途稅」，由銀行及稅捐機關代扣，聚沙成塔、專款專用。過去稅收採大水庫的概念，難免藏污納垢，但只要指定用途、專款專用，就能攤開讓國會監督、全民監督。

這在國際上早就不是新概念，歐洲政府普遍課徵環保稅或者綠色稅，支援環保相關的活動；北歐國家還有課徵社會保障稅；台灣健保更是最完整的示範，這操作起來絕對不困難。

大家或許覺得「分配正義」只是口號，懷疑理想與現實的差距，對政策的推動感到陌生。但是我們必須深刻瞭解，這絕不是什麼新東西，而是中華民國建國百年的立國根本，是清清楚楚、明明白白寫在「中華民國憲法」中，刻在你我每一個中華民國國民基因裡的東西。如果還有疑慮，懇請各位回頭想想，莫忘立國初衷。

36

把人照顧好，經濟自然好

國際上已在在證明，

健康及教育是「人力資本」的基石；

而人力資本是經濟、社會發展的原動力。

公共衛生學者史塔克勒（David Stuckler）和巴蘇
（Sanjay Basu）所著《失控的撙節》（*The Body Economic: Why
Austerity Kills*）一書，結論完全符合我力倡的「合理漲
價、公平加稅、照顧弱勢」理念，令人大感快慰。

撙節基本福利，結果更加悲慘

作者詳加收集在 1998 及 2008 年二次金融海嘯，各國
政府瀕臨經濟危機時的作為，對於民眾健康及經濟復甦的

影響。由於各國的因應對策大異其趣，結果也有很大的差距，可說是種「政策實驗」。作者比較各國的資料後發現，凡是大幅刪減衛生支出及撙節民眾基本福利的國家，死亡率上升，平均餘命下降。其中以採用「震盪療法」的俄國為最，因大幅減少衛生及社福支出，短短數年內平均餘命從70歲驟降至64歲，且增加的死亡者多為青壯年。

　　作者比較1998年時，泰國、印尼、馬來西亞及韓國，凡接受IMF（國際貨幣基金會）的金援及依照其指示採取撙節措施者，民眾健康下降，失業後酗酒及自殺死亡增加，更有趣的是經濟恢復也比較慢。反之則不但民眾健康得以維持，經濟恢復也比較快。2008年時亦是如此。作者特別提到瑞典、丹麥、挪威、冰島等國，不管經濟情勢如何嚴峻，仍然對弱勢同胞不離不棄，不但民眾因為獲得基本的照顧，健康沒有受到影響，國家經濟也很快恢復榮景。

公衛及教育，創造台灣奇蹟

　　此書研究結果與台灣經驗完全吻合，台灣在公共衛生與經濟發展上的重大成就，足以做為開發中國家的典範及楷模。光復初期台灣疫癘橫行，衛生環境極差，但因戰爭甫結束，民生凋敝，能夠分配給公共衛生的資源十分有限。當時採行了「廣覆蓋、低水平」的策略，也就是提供全民基本的公共衛生照護，而不追求高端醫學技術與設

施。另一方面推行三七五減租及耕者有其田政策，提升農民生產力；又以田賦及高價肥料向農民換低價穀物；台糖公司也持續日本製糖會社剝削蔗農的作法，向農民抽取重稅，以扶持工業。

表面上農民吃虧受害，但因政府有足夠的稅收，提供公共衛生服務及興辦教育，民眾健康獲得大幅改善，其子弟亦得以享有九年國民義務教育，而在一代之間從農民身份轉換為技術工人或白領階級，社會地位得以提升（社會流動），生活也大幅改善，最終仍是受益。

當時的經濟政策造就舉世稱羨的台灣奇蹟，其間雖有白色恐怖的陰影，但多數人都認為明天會更好，因此在60-80年代，農民在選舉時是支持國民黨的主力，反而是都會區的白領階級，對一黨獨大，黨國不分的執政黨很不以為然，凡是追求民主自由的人，都會支持黨外民主運動，與今日北藍南綠的局勢大異其趣。

人力資本，是社會發展的基石

國際上已在在證明，「健康」及「教育」是「人力資本」（Human Capital）的基石，而人力資本是經濟、社會發展的原動力。只要擁有健康及知識，加上政治安定，人們就可照顧自己及家人，社會與經濟自然獲得發展。此不但在西方，在日本、韓國、台灣、新加坡、中國大陸等等均是如此。

本書指出的「自然實驗」，顯示IMF及世界銀行採行的新自由主義，認為降稅可促進投資及經濟發展，結果是貧富擴大，階級對立，特別是震盪療法是錯誤的，雖IMF終為此道歉，但不知已損害了多少人的健康與性命。

　　此書稍嫌不足之處，是未能揭示如瑞典、冰島等國，為何在經濟衰退之時，仍能力拒「撙節」，全民願意同舟共濟，承擔高額稅賦，政府又如何抗拒財團不斷要求降稅的壓力，保障全民獲得適切醫療及生活基本保障，只是因政府透明廉能？或是有特殊文化因素？

　　此書對二派均為諾貝爾獎得主的經濟學者大辯論，及IMF的舉措下了結論，因此不但我等公共衛生學子應該拜讀，衛生福利部「長官們」應該人手一冊，特別是只講求產業發展、拚經濟，但從不探討「分配」的財經內閣，更應在閱後深思一番。

37

像人樣的基本政見

選舉支票從來都是民眾買單而非政府出錢，
凡是未提出財務計劃的政見就是假政見，
就是在騙選票。

　　台灣每次縣市長選舉，候選人政見均慘不忍睹，不少
民眾甚至不知道眾多候選人到底有沒有政見。相互叫罵、
揭對方隱私、八卦當道，再來就是亂開支票一通，各種津
貼、免費一堆，一切都是政府出錢，至今也從未有候選人
或當選人散盡家財挹注縣市政府預算。

　　政府出錢當然就是你我買單，因此，選舉支票從來都
是民眾買單而非政府出錢，但可憐選民就是吃這一套。因
此，候選人凡是未提出財務計劃的政見就是假政見，就是
在騙選票。

政府要增加某項支出，不是增加負債，就是必須減少某項支出，如減少教育、環保、托育或對老人的長期照護。當然也可以加稅，例如增加屬於地方政府權限的稅目，但沒有一個候選人敢講公平加稅（如果有此種候選人，只要不認為本人會幫倒忙，不必開口拜託，我願意天天替他站台）。因此，只提利多，不談錢從哪裡來，就是騙子，千萬不可投他。

七項基本政見

既然候選人提不出什麼政見，在此提出幾項供候選人參考採用：

第一：任內絕不增加負債。台灣人口老化世界第一，且台灣在3、4年後人口開始減少，絕不可債留子孫，害死今天的年輕人。

第二：幼有所養。首先承諾境內沒有母親因缺錢買嬰兒奶粉，而需要至大賣場偷取；凡中、低收入戶，母親因故未能哺育母乳者，政府提供嬰兒奶粉至少到滿二歲以上。再者境內絕沒有代課老師，特別是鐘點老師（同一學期一門課由好幾位老師教，學生如何學習？）大幅增加公辦托兒所及幼兒園，不但中、低收入戶，就是家戶綜合所得100萬以下的孩童，均可上公立托兒及幼兒園，讓父母無後顧之憂。

第三：保證國民學校孩童均有安全營養的學校午餐。

餓肚子絕對無法好好學習，就是剝奪孩童最基本的受教權。

第四：老有所終。對中、低收入戶普遍提供長期照護，境內絕無疲憊萬分、撐不下去的照顧者殺死至親的受照顧者。

第五：成家有望。凡父母只有一棟房屋的首購族，政府補助房貸利息八成。

第六：合理加稅。綜所稅是中央稅，中央無能，專門圖利財團，地方管不著，但房屋及地價稅是地方稅，目前實質稅率只實價的1‰不到。甚少一般房屋所有人答得出每年付的房屋、地價稅是多少錢，因為低到無感，而美、日等資本主義國家至少是實價的1%。近年利率低下，資產稅又低，只有利炒房，有利財團增大貧富差距，擴大相對剝奪感，助長仇富情結，候選人要有本事說服民眾合理加稅，照顧上述的弱勢。

第七：壯有所用。提供安全食用油，讓民眾再赴夜市消費。食油事件，民眾大幅漸少外食，攤商、小吃店，甚至一般餐廳、食品店，苦不堪言，又將造成失業，擴大貧富差距。由地方政府統一招標安全的食用油（如洽台糖買沙拉油及豬油），供食品業以平價普遍使用，喚回廣大消費者，而使這些最低層的餐飲業勞動者，能賺得起碼的溫飽。

至於一時熱鬧的煙火可以不放，最好免了；過年過節，對過得還可以的領月退的軍公教，甚至千萬、億萬家

財的老人，1,500的敬老金也可免了；比照日本，老人無所謂公車免費、捷運半價。而是集中財力，給低收入老人足夠的生活津貼，免於淪落為遊民，凍死於寒冬。

落實政見，要提財務計畫

要落實政見，要嚴謹提出財務計劃，每項增加多少支出，要從何處增加多少稅收，又從何處減少支出，這才算是政見。若干雜誌每年從事縣市長滿意度調查，只憑幾支電話，問問民眾感覺，完全沒有考量客觀指標，會作秀，搞公關民調就高，是爛媒體，誤導民眾及敗壞選舉。

以上數項，不過是落實〈禮運大同篇〉的「幼有所養、老有所終、壯有所用」的基本政見，如果連這些都沒有，叫選民如何投得下票？不如當天舉行郊遊，也算有益健康。

38

力抗台版「楢山節考」

長照制度成了芭樂票，家庭又漸失功能，
只好由民間團體成立互助機制，
創造沒有棄老、虐老、棄兒、虐兒的社會。

　　什麼是「楢山節考」？原出自日本深澤七郎1956年的
小說，1983年拍成電影，敘述日本古代信濃國（今長野
縣）寒村棄老的傳說。

　　當地因山多田少，老人到了70歲，為節省糧食，讓年
輕世代可以活下去，就由兒子在寒冬背上山凍死。劇中女
主角雖到70仍然硬朗，卻故意將門牙敲落，衰弱身體。兒
子雖然不捨，但仍依母親指示，在寒冬中背上楢山，棄於
風雪之中。

中華民國如何不亡！?

稅收支應，長照2.0成芭樂票

在台灣雖沒有將長者棄於高山的傳統，但台版的楢山節考卻一再上演。近年來發生了多起人倫悲劇，例如，王姓老翁無力再照顧失能的妻子，用螺絲起子插入妻子腦門；哥哥肝癌末期，無能再照顧生活無法自理的肢障弟弟，只好槍殺弟弟再自殺；老翁照顧病妻精疲力盡，將老妻推入魚池，自己隨後跳入；還有孝子勒死需長照的母親……這串名單還只是報載的一小部分。

這些「凶手」在殺害受照顧的親人後，不是立即投案，就是自我了斷，台版楢山節考比日本版更令人唏噓。

台灣不是有長照2.0嗎？何以至此？因為這根本就是芭樂票。

台灣目前失能且需長照的人口近90萬，若加上25萬以上的失智者，長照總需求在百萬以上。其中二十幾萬尚過得去的家庭，雇用外勞當照服員，而這些外勞出口國近年經濟高度成長，台灣相對之下，越來越雇不到包括大陸在內的外勞。且由於薪資不漲，恐越來越多的家庭負擔不起外勞，需「棄老」或破產。

而政府的長照2.0，2018年度的預算只有207億，若果如政府宣示的，將服務對象擴增為73.8萬人，則每人每月只分到2,337元，一天不到100元，根本是開長照對象的玩笑。

保險制阻力大

　　放眼全球，凡是有全民健保的國家，其長照均用保險制，費用至少是健保的1/6，因此我國長照至少需1,200億（我國健保費用相較他國已是偏低），但2019年預算僅400億，嚴重不足。不用保險制，那為什麼不多擠些公務預算？政府早就一窮二白，欠了一屁股債，且年年增加，哪裡還擠得出錢來。

　　既然沒錢，當然找不到足夠的人投入，沒足夠人投入，當然就沒有足夠質與量的服務，長照2.0也當然成了芭樂票。

　　那為什麼推翻原先規劃籌資1,200億的長照保險？因為實施保險制，雇主必須比照健保，負擔一定比率的費用，推動阻力大。而當政府一宣佈用稅收支應長照，財團不用出錢，他們馬上大表支持。

　　然而台灣稅收占GDP的比率只13%，不到OCED國家34%的一半，政府並無財力支持社會照顧。自稱是左派的政府，要廣泛照顧民眾，其實極左成了極右，民眾反而要隨人顧性命。

　　用加稅來支持長照，更深層困難的原因是政黨惡鬥。台灣已成為高度撕裂的社會，政黨惡鬥，誰也不相信誰，社會大眾不相信政府，當然也不相信政黨、立法委員、司法體系、媒體名嘴、學者專家及民調。因為政府A錢，又大量蓋蚊子館及用錢綁選舉，兩黨惡行罄竹難書，大眾不

敢把錢交給政府（加稅），以社會集體的力量相互扶持。如果能像北歐國家般政府廉能，人民自然願意將稅提高到占GDP40-60%，讓政府把人民從出生好好照顧到死亡。

政府無用，只好民間自救

既然無法建立制度性的機制相互幫忙，家庭又漸漸失去功能，那只好由互動較多的團體建立相互扶持的機制。目前有多個民間單位，組織全民造福（照服）時間銀行聯盟，各參加聯盟團體，不論是社區、教會、公司、社團等，各自徵求內部會員或員工，經過一致的訓練及認證，提供團體內需要照顧者各項服務（可以是失能的長照，也可以僅是陪伴，包括聊天、閱讀、陪伴上街、採購、協助就醫等，也可以是對年幼子女及孩童的照顧），計算點數加以記錄，當自己需要時優先提領。

自助助人，就類同捐血後可優先接受輸血，但不必一對一對價。先在團體內辦理，因為平日互動頻繁互信度較高，容易形成互助團體，未來再以跨團體為目標，創造沒有孤獨也沒有棄老、虐老、棄兒、虐兒的祥和社會。

39

共同養育下一代，
才有永續

解決少子化困境的原理只有一個，
就是子女大家一起養。
不付出，卻要別人的子女在你老後養你，
這是真正的世代不公。

　　2012年初，拙作《台灣大崩壞》一書，提出台灣是一個「四不一沒有」的社會。不婚、不育、不養、不活（自殺），年輕人沒有前景。台灣年輕人有偶率世界最低，且每名婦女平均生不到一個小孩，也就是每隔一代，台灣人口減半，加上虐兒事件層出不窮，自殺常在十大死因之列，長此以往，台灣人恐將成為「瀕臨絕種的動物」。

　　觀察物種，小獅子常由母獅群體撫養，即使「獅媽」受傷或獵不到食物，幼獅仍能生存；但獵豹卻是母豹獨自撫養，一旦受傷或獵不到食物，幼豹就面臨死亡，所以瀕

臨絕種。可知子代由親代集體撫養，是物種永續的必要手段。

「絕種式」少子化，問題何在？

常有人問我，健保是否可以永續，我的回答是一定沒辦法永續，問題不在健保制度本身，而是台灣人口組成已成為倒三角形，也就是老年人比年輕人多，需要照顧者多，出錢者少，怎能不倒？醫護照顧人力更是短缺，長此以往，絕不是四大皆空而已，而是「全部空空」。

相較於台灣「絕種式」的少子化，北歐各國每名婦女平均大約生育二個左右，而他們的婦女勞動參與率常高達80-90%，遠高於台灣的50%。既能工作，又能兼顧撫育小孩，如何做到？其實很簡單，就是小孩大家一起養。

他們的婦女只要負責生小孩，用愛心照顧，其他托育、教養、就學等等的費用，均由社會集體負擔。由於政府行政一切透明，不蓋蚊子館、沒有貪汙、稅制公平，大家知道政府會把錢用在刀口上，所以都願意交重稅一起養育下一代，也就是大家出錢，共同養育小孩。

我們華人社會的習俗也曾如此，父母雙亡，兄嫂要負責將未成年弟妹撫養成人，否則鄰人必予譴責；伯父母亡，叔嬸也被要求將未成年的侄兒女養大成人，也就是子女由家族大家一起養。但在家庭核心化之後，小孩只能靠年輕父母自己養。

友善家庭，才是真前瞻

　　台灣年輕夫婦育兒負擔過於沉重，依據陳玉華、蔡青龍等在2011年《人口學刊》發表的資料，在台灣要把一名子女養到24歲，要花費66%的可支配所得，而在北歐國家卻是個位數，如瑞典3.1%，法國5.0%，奧地利5.8%等。在台灣若夫婦均就業，最少有近20年時間，要用其中一人的全部收入養育子女。其他理由如，多年來房價因炒地皮而太過昂貴，無房不結婚、更不生育；職場對婦女生育離職後再就業不友善；公立托育設施太少等，都是大家不敢生的原因。

　　解決少子化困境的原理只有一個，就是子女大家一起養，你不幫忙養（出錢或出力），卻要別人的子女在你老後養你，這才是真正的世代不公。因此政府應該每年拿500億，普遍辦理免費公設托兒所、幼兒園，社會住宅優先給予有幼兒的夫婦，這才是真正的前瞻建設。

　　此外，在平均餘命已超過80歲的今天，所有青年人不論男女，應該一律提供一年社會服務，照顧孩童或失能老人，一方面世代互助，也熟悉撫老育幼的技能及提升代間交流。以上若能做到，台灣也能如北歐國家一般，基本上不用外籍看護工，自己人就能照顧自己人。有人倡議應從教育著手，改變年輕人觀念，根本緣木求魚，胡扯一通。

　　衛福部成立少子化辦公室，精神可嘉，但保證就如馬前總統說「少子化是國安問題」一樣，沒人沒錢，光設

　　　　　　　　　　　　　中華民國如何不亡!?

個辦公室、委員會之類，開幾次會然後無疾而終，一事無成。還不如請小英總統為民表率，每週一日，撥冗到托兒所、幼兒園，幫忙年輕夫婦，照顧一下孩童，來得有效。

40

族群認同與國家認同

族群認同可以是多元、複數的，
但是國家認同則是唯一、無從選擇的，
所有人都必須對國家效忠、盡義務。

　　美國小學課程中有一項「族譜樹」（Family Tree）的活動，在這個活動中，學生透過訪談父母、祖父母，甚至曾祖父母等，追溯父母雙方家中至曾祖父輩的家族史，了解他們祖輩們的姓名、在何處出生、從事何種工作，以及家族從何處來等等，然後畫出家族族譜樹，並在課堂中報告。所以美國人自小就經由學校課堂學習追溯家族血源，了解到歷代祖先的族裔與遷徙背景。

　　美國每10年進行一次全國人口普查，依據「美國之音」中文網的報導，在2000年的人口普查中，首次允許公

民確認自己屬於一個以上的種族。

人口調查表把種族（race and ethnicity）分為六大類：白人、非洲裔、美洲印第安人或阿拉斯加土著、亞裔、夏威夷土著和其他太平洋島民、其他。到2010年的人口普查中，甚至可以在亞裔下，勾選「華裔」，或者在「其他亞裔」的選項下，手寫加註「台裔」。

美國是有名的民族大熔爐，台灣移民美國的僑胞，在填寫人口普查中的種族問題時，可以自行依認同重複選擇「亞裔」、「華裔」，甚至「台裔」，此為多元的族群認同；但是在國家認同上，則是唯一、無從選擇的，所有人都是美國人。所以綜合起來是為「亞裔美國人」（Asian American）、「華裔美國人」（Chinese American），或者「台裔美國人」（Taiwan American）。

即使美國政府並不禁止雙重國籍，但美國人民必須向美國效忠，在入境美國時必須持美國護照，且不論在何處居住或工作，都必須向美國報稅，這是法有明訂的義務規範，是不可因感性而凌駕的理性限制。

中華民國國民，就該對中華民國效忠

「認同」是近二十幾年來，國內外社會及人文科學中熱門的研究題材，也是台灣社會重要的議題之一。族群認同雖然大多形塑於年輕至成年階段，但並非固定不變，而是會隨著時空背景及環境變遷而改變。

政治大學選舉中心每年進行重要政治態度分佈調查，資料橫跨1992年到2015年，每年受訪的20歲以上成年人中，在面對自己是「台灣人」、「中國人」或是「都是」的族群認同選項時，選擇「台灣人」的從1992年的17.6%，成長到2015年的59%；選擇「中國人」的從25.5%，掉落到3.3%；而選擇「都是」的則從45.4%，減少到33.7%。

由此可見，台灣的族群認同在改變，而且是十分明顯的改變。但不管族群認同如何變化，大家身為中華民國國民，要向中華民國效忠，須持用中華民國護照出國旅行，並依據中華民國「憲法」享權利與盡義務的事實與現況，無法改變。

前總統李登輝曾投書日本雜誌表示，不存在台灣與日本打仗（抗日）的事實，這樣的意見自有台中霧峰林家的非武裝抗日、蔣渭水等人推動鼓吹民權的啟蒙運動，及魏德聖導演2011年電影「賽德克・巴萊」拍攝背景的原住民抗暴事件等史實可以反證。況且，身為中華民國的卸任國家元首，當初就職時曾莊嚴的宣誓效忠中華民國，即使是基於個人自身歷史而來的認知，也不可有任何違反對國家認同及他自己誓言的行為。何況此番對日本的投書及對釣魚台的發言，傳播於社會大眾之後，將進一步分裂及弱化台灣，此舉不但令人遺憾，且該受嚴厲譴責。

期待我們的學校課程中，也有類似可供國民認識自己家族成員從何處來，以及追溯祖先遷徙歷程的活動，以

不帶價值判斷的方式，讓我們的下一代從自身家族的故事開始探索，了解他們傳承的血緣及文化特質，提供族群概念建構與想像的空間。並在逐步發展自我認同間，透過多元族群認同建構的過程，紓解及遺忘歷史記憶所形成的痛苦與悲情，逐漸導引到對公共議題及民生問題的關注及討論，甚至發展及凝聚民主憲政的共識，建構更穩固的國家認同。

（本文與藍貝嘉共同執筆）

41

珍惜台灣的大確幸

台灣有舉世稱羨的三大確幸，
你感受到了嗎？懂得珍惜嗎？

　　台灣當前兩黨惡鬥不止，執政黨施政不利、經濟停滯，一例一休、同性婚姻造成更多紛擾，國際處境益加艱困，大家只好追求小確幸，然而台灣民眾卻享有若干大確幸，值得我們好好珍惜。

活得老也活得好

　　首先是台灣民眾不但活得老且活得好，目前全國平均餘命男性為76歲、女性為83歲，如果是台北都會區，男

80歲、女85歲，未來10年，全國就會追上台北都會區。也就是目前八成的民眾活到70歲，活到80歲的有近六成，四分之一可活到90歲，因此若70歲以前就往生，可算是「夭壽」了。

活得長，若終日臥床，吃、喝、拉、撒都不能自理，那苦了自己、苦了家人、依賴社會，也沒有什麼意思。大家都知道台灣人口老化，目前就有300多萬老人，10年內增加到500萬，佔總人口的20%。政府天天在說長照，但事實上，日常生活都能自理（飲食、如廁、穿衣、洗浴、移動）者，65-74歲的老人當中有93%，75-84歲有近八成，85歲以上還有超過五成。也就是台灣人不但活得久，也活得好，是一大確幸。

只有16%的老人需要長期照護（當然這已是個大問題），84%的老人，雖有相當比率有慢性病（如三高），但大多數也都活得好。因此各界在關心長照之餘，更要關心84%生活機能尚屬不錯的老人，如何持續保持健康，而不需長期照護（健康促進，防制失能），這才是個人、家庭、社會需要努力的方向。

安居樂業、一團和氣

第二大確幸是，2015年台灣被評為世界上第二安全的社會，雖然2014年有鄭傑隨機殺人事件，2015年有交通重大事故，以及八仙樂園塵爆事件，但比起其他國家內戰不

止，或天天活在恐怖攻擊的陰影下，已經好得太多。如何繼續維持及提升祥和社會，讓大家安居樂業，就需要大家持續共同努力了。

第三大確幸是，台灣雖有藍綠、統獨等認同之爭，卻沒有宗教之爭。宗教是感性的，很容易排他，數千年來，不知多少人因為所謂「異教徒」三個字而人頭落地、血流成河，宗教戰爭引起的死亡，比二次世界大戰的死傷，不知多出多少倍。

但台灣對各宗教皆能相互容忍且尊重，基督教、天主教、佛教、回教、一貫道、儒教、法輪功…，只要不犯法，各信仰一團和氣，甚為難能可貴。八八水災後，若干原住民教堂損毀，佛光山提供資金補助重建，更是佳話。

我們有三大確幸，更應好好珍惜，努力為這塊樂土打拚才是。

42

以資產持有稅補助孩童

增加房地產持有稅，挹助孩童補助，

有助於穩定人口，提升未來就業能力，

增加購屋人口及能力，

有助房屋的銷售及價格穩定。

　　少子化是個國安問題，但一直沒人提出可行的具體政見，曾有立委提案，18歲以下孩童，每名每月3,000元養兒津貼，引起廣泛討論。

　　養育身心健全的子女，是父母對社會最重大的貢獻，因為未來從處理垃圾、開計程車，到當照服員、警察、軍人、醫師、護理師、工程師，甚至創業成為企業家等，服務社會同時繳交稅金，莫不由現今的孩童、未來的青壯年負擔。

投資兒童，就是投資未來

養兒育女成本甚高，托嬰、托兒所費不貲，若當全職父母，則減少甚多就業收入（機會成本），至於精神心力上的負擔更不待言。因此幾乎所有國家都對養育子女給予協助，義務教育、免費兒童醫療、減免稅賦等等，友善育兒家庭。

這不但是社會學界的主張，經濟學界也莫不如此倡言，芝加哥大學諾貝爾獎得主海克曼（James Hockman）就說：「我們今日為弱勢兒童所做的投資，有助於促進社會流動，可創造機會，並孕育一個更有活力、健全且包容的社會與經濟。提高兒童福利津貼，讓孩子不愁衣食，就能在學校更專注學習；不再面對貧窮陷阱的家庭，也會多投資在自我培訓，成為雇主企求的技術勞工或工程師」。簡單的說，就是以前子女是家族共同扶養，但現代社會都是小家庭甚至單親家庭，所以大家交稅由社會共同扶養。

而台灣目前教育及財富世襲化、階級化，每天不知有多少孩童因為三餐不繼，從小需謀取生活費用，而未能獲得良好的營養及學習機會，未能對社會做出更大的貢獻。因此幫助偏鄉孩童生活與教育的人士，特別令人尊敬，如嚴長壽等人。

台灣目前有35%以上的孩童，生活在家庭中位數收入的60%以下的家庭（國際上貧窮兒童的標準），可知有多少孩童減損了良好發展的機會，對台灣的社會與經濟造成

多大的損失。開放每月3,000元的孩童津貼，必然可使大量的中低收入孩童，獲得更好的照護及良好的學習，充實社會的人力資本。因為依照國際經驗，發放兒童津貼，貧窮孩童率馬上下降。

資助兒童，才能維持房價

然而，就算是在今日少子化下，每月每人3,000元，每年也需將近1,670億，是全年政府預算的1/10；若只發放15歲以下，也要千億，這筆錢從何而來？開福利支票，沒有一併提出財務計劃，就是假政見，至多是半個政見，因此一提出來，贊成或者有，罵聲也不少。

沒錢萬萬不能。不加稅，這筆預算就會排擠政府其他施政或債留子孫；若提高綜所稅，台灣因資本利得幾乎不交稅，馬上懲罰受薪的勞動者；提高消費稅，也對景氣帶來負面影響；因此最適合的應該是資產持有稅。台灣房屋稅加地價稅只約實價的1‰，比歐美日的至少1%相差甚鉅，問一般民眾每年交多少房屋稅、地價稅，十之八九都答不出來，因為金額有限而無感，所以大有利於炒房。若調高至實價的2-3‰，就有相當的財源，但炒房的、建商們，一定又有一堆理由反對。

其實今日房價看衰，最大原因就是炒房太過，空屋太多（官方數字是80萬戶，學界估計150萬戶，因炒房者一家多口，每人可掛一戶）。若從長遠來看，增加房地產

持有稅，挹助孩童補助，有助於穩定人口，提升青少年未來就業能力，就可增加購屋人口及能力，反而有助於房屋的銷售及價格的穩定。但相關業者會有此遠見嗎？保證不會；相反的，必然群起反對，不然哪像台灣？

寧可放煙火，只好成為無子社會

然而地價及房屋稅是地方稅，地價又有公告地價、公告現值及實價，地方諸侯都做濫好人，課稅基礎的公告地價偏低，且各縣市不一。「事情不大，問題不小」，若要求地方政府統一辦理發放，結果就是民眾的福利政府不敢不給，但地方就是不配合，寧可把錢花在放煙火、政策買票，所以馬市長才會欠馬總統地方應負擔的健保費（始做俑者卻是高雄，最後由中央買單才算解決）。就算是有了財源，發放對象要不要排富？排富要訂在哪個水準？又不知道要吵多久。

至於反對的朋友，特別是打算終身單身或無子女者，不能說沒有道理，但要下定決心，將來老、殘、貧一切自理，絕不依賴社會、不需要年輕人負擔及照顧。

最絕的是，不知哪門子的經濟學教授，居然在某電視台上大放厥詞，發放育兒補助對無子女者不公不義。難道世上絕大部分的經濟學者全是白癡？難道不知北歐國家提供高額育兒的補助，結果平均每名婦女生育二人，是經濟成長良好、社會安定的幸福國家？台灣有這樣的經濟學教

中華民國如何不亡！？

授及媒體，真是令人嘆為觀止。

　　台灣培養出了無子西瓜，但也同時發展出無子社會，每隔一代就少一半人口，台灣就等著消失吧！

43

大家都服替代役

長期少子化，每年將減少18萬勞動人口，
因此我們應該讓年輕人在一生中，
至少有一年半載從事社會服務工作。

　　青壯男士聚在一起，酒酣耳熱之餘，大多談二件事，第一件當然是女人，第二件則是在軍中服役的種種。

　　從人生階段來說，服役有如成年禮，在眾多人類社會，多有成年的儀式，如腳綁繩索從高塔跳下、隻手伸入裝滿紅蟻的竹筒、獨自獵取一頭山豬，甚至出草獵取敵對部落的人頭。在長者指導下，凡是完成試煉的年輕人就是成人，享有成人的地位，同時盡成人的義務。當然也有只舉行類似「弱冠」的儀式，就表示成人。

當兵是多功能訓練

　　台灣在全面募兵之前，年滿18歲就有服兵役的義務，犯罪也就不再受未成年不受刑法的權利，也就是在法律上宣告成人，既然要盡義務，也就該享權利，這也是認為滿18歲就應有投票權的道理。

　　在男性全民服兵役的年代，雇主常強調受雇者要「役畢」，一是為避免受雇者因服役而工作中斷，更重要的是「役畢」者經過「合理的要求是訓練，不合理的要求是磨練」（每個訓練班長的口頭禪），原本茶來伸手、飯來張口，早上起不了床的夜貓子，連棉被都不折的少爺，在服役期間只好早睡早起，棉被要折成豆腐塊，要與同袍同起、同作，不但要過團體生活，且常需相互合作掩護，以能集體摸魚。

　　因此國家花大筆經費，一方面是讓青年保家衛國，一方面則是在承平時期替事業主從事「職前訓練」，雖有些家長想方設法讓兒子不要服兵役，但也有不少家長期待兒子在軍中有所成長。特別在小國寡民或有外在威脅的國家，男子服役是必然，如以色列、新加坡、韓國等等，而以色列更是連女子都需服役，且亦擔任第一線的戰鬥任務。

　　目前台灣已改為全面募兵制，其是非在此不論，但替代役則不應取消，我國目前的平均餘命，馬上將達到男80、女85，在漫長的一生中，貢獻一年半載提供社會服

務，算是一種義務應不為過。

因應高齡化，人人都應社會服務

台灣目前人口快速老化，失能者（自己不能獨立完成飲食、排泄、洗澡、更衣、移動等，必須有人協助才能完成起碼生理需求）70餘萬，且快速增加中，政府目前的10年長期照顧計畫只照顧十餘萬人，過得去的家庭雇用20萬外勞，而40餘萬失能者常讓家人照顧者心力交瘁。2011年，84歲王姓老翁不忍愛妻飽受巴金森症之苦，自己又年邁逐漸缺乏照顧能力，而親手以螺絲起子結束愛妻生命，投案後直言認罪而不認錯，是制度殺人，令人鼻酸。之後媒體報導照顧者終結摯愛失能親人的事件，層出不窮。

但觀察北歐國家，及實施長照保險的日本、韓國，幾乎全不用外勞，自己的長者自己照顧，照顧長者是理所當然的高尚工作。台灣由於長期少子化，未來每年將減少18萬勞動人口，因此我們應該繼續實施替代役，或讓年輕人在一生中，至少有一年半載從事社會服務工作。

且不但男性如此，女性也應該全面實施社會役。讓年輕女性在接受一定培訓後，除了照顧失能者，也應到托兒所、幼兒園，協助照顧嬰幼兒，體會扶老及養兒育女的辛勞，協助家中有失能老人或幼年子女的家庭。而從事此工作者，將來自己有需要時，則安排優先獲得此服務，類同捐血者，自己及家人可優先獲得輸血。

專款專用，最易監督

在社會役制度下，國人相互幫忙，創建祥和社會，更重要者可培養青年照顧老小的技能，及體會生老病死，有助於青年人人格的成熟。而服社會役者，也應獲得起碼之報酬，例如不少於最低工資。

經費則因加稅難於登天，宜以指定用途稅為之，指定用途稅用途明確、易於監督、民眾有感，且可增加就業人數，降低青年失業率，有助於GDP的成長。在財源方面，例如菸的健康捐再加10元，每筆證券交易20元，烈酒捐每瓶加100元，又可減少酒駕，一舉二得等，則老有所終、幼有所養、壯有所用（照顧自己的老及幼），天下大同矣。

44

個人理念不可凌駕體制

民主法治國家，
透過體制外方式表達的理念和訴求，
最終還是必須回到體制內，
才能得到真正的解決。

　　林義雄先生曾經為了反核、廢核，禁食、禁語，這件事凸顯的是人民對體制內運作的極度失望和不信任。台灣人民雖然投票選出了民代及官員，但是政客、財團、派系勾結，主導及壟斷了政府決策，民意未能真正參與及影響政策，才逼得林義雄先生不得不以年近70的衰弱體軀和無比堅定的意志，用如此決絕的方式，在體制外實踐理念。

　　林義雄先生此舉的確使人肅然起敬和萬分不捨，但是，也不可忽視一件事，每個人的理念和價值觀不同，有人堅持要絕對安全的無核家園，就必定有人認為，為求經

濟發展，應該要承受某種程度的風險。假設台灣經濟建設
重要舵手之一的李國鼎先生還在世，又假設他說，如果核
四在一年內不商轉，他就要絕食抗議，那又該如何？國家
政策應該「聽」誰的？

雖然民主社會最可貴的一點，就是人人有表達意見
的權利和自由，然而，為追求整體的最大利益，個人理念
不可凌駕體制，在體制外拚搏絕非正途，一切作為仍應回
歸體制。林義雄先生若是號召民眾，堅持進行公投（公投
門檻高低，是否修訂，是另一個問題，但是屬於體制內運
作），當更能證明其理念具有民意基礎及正當性，而非個
人的一意孤行。

改造體制，才是根本解決

或許有人要說，如果體制能夠良好運作，誰不想好
好依循，又何苦「以身殉道」？的確如此，民主制度並不
完美，即使先進如美國，因為兩黨惡鬥，財團政客壟斷國
會，制定的政策乖張，也造成了99%與1%的對抗。臺灣
情況就更嚴重了，財團把持立委，立委控制行政，密室協
商、黑箱作業變成常態，雖然全在體制內運作，表面完全
合乎法律程序，但立法停滯，政策又嚴重違反人民的期望
和利益，致使人民不得不行使「公民不服從」權利與之對
抗。

但是，民主法治的國家，不管是上街頭、攻佔政府機

關、罷工罷課，還是絕食抗議，所有透過體制外方式表達的理念和訴求，最終還是必須回到體制內，才能得到真正的解決。正如當年野百合學運對廢除萬年國會的訴求，最後仍需透過修法，在法制下進行，才是根本的解決之道。

政府體制必需改革，使其運作順暢，制定的政策方能符合多數人民的利益和需求，不再發生使人心不安、耗費大量社會成本的各種體制外運動。因此呼籲所有的人，不論在單一議題的立場、理念為何，是敵是友，更具「投資報酬率」的做法，是團結一致，將青春、心力、資源，甚至寶貴生命，投注在推動改造體制這件事情上。使國家政策制定的機制不為少數人所宰制，也不是任憑一、二人呼風喚雨。

45

重啟核四，是為終極廢核

用相對安全的新廠核電，多爭取一些時間，
發展真正乾淨的綠色能源，
達到最後取代所有核電的終極目標。

　　我反核，也認識不少反核人士，但都在「以核養綠」
這個議題上，投了贊成票。因為目前馬上停止核電，綠能
及天然氣發電根本跟不上，不但天天飽受缺電威脅，電價
高漲，也不利經濟發展及民生。

馬要好，就得吃草

　　蔡政府2016選前說大話，2025前廢核且不缺電，綠
能一片大好。如果今天還敢這麼說，那在野的找個西瓜就

可打敗綠營。9合1選舉時，地方諸侯候選人強烈反對再建燃煤電廠（新北市），減少或停用燃煤發電（台中），就可高票當選；當選後的諸侯南電不准北送，中電也不准北送，興建液化瓦斯的接收站又處處受阻，海上風力發電尚在虛無飄渺的海上，就算完成，也是冬天有電，夏天卻無風無電。

民眾要求不能缺電，電價又不可漲，更不同意用肺發電（燃煤），顯然在目前及最近的未來，核二、核三不但要繼續運轉，還可能要延役，就算是衝、衝、衝，能衝出電來嗎？

核電必然有核災的風險，但天下沒有完美的制度，就算是有了解方，也要假以時日，因此越來越多的國人，傾向於以核養綠。而經過國際專家檢視評估，新廠比老廠安全性高，所以更多人贊成重啟核四，能早日將使用年限已到期，或將到期的老舊核一、核二、核三廢除。用相對安全的新廠核電，多爭取一些時間，發展真正乾淨的綠色能源，達到最後取代所有核電的終極目標。

請對岸代處理核廢

但核廢料無處去卻是個大問題。之前老共推出的惠台31條，讓人不知到底是惠台，還是進一步把台灣的人才、錢財掏空；老共如果真要惠台，不如出面大方協助處理台灣的核廢料。

大陸約有60座核電廠，核廢料處理經驗多、空廢無人土地也多，例如羅布泊的核爆場地，就很適合儲放核廢料。金廈通水，台灣沒有占中國便宜，錢照付，核廢也可以如此。

　　北高二位市長，一向贊同兩岸一家親，那就要求老共來個惠台第32條，實質有利台灣的代處理核廢。如果老美因兩岸核能合作而不爽，那就跳出來協助台灣處理核廢及能源問題吧！

　　林聖人影響力漸遠，蘇院長衝衝衝，不如趁此機會，邀請全球一流專家，在最高安全標準下，重啟核四，讓以核養綠、不缺電、不以肺養電及不大漲電費的目標，可以落實。

46

核廢處理狂想曲

仔細思量，
核廢料最好的存放地點是總統府的周邊，
好處甚多；也別忘了行政院及立法院。

核能發電問題非常專業複雜，擁核、反核兩派人馬各有所憑，爭論不休。其中核廢料的處理是令人十分頭痛的一項，因為放射物質敗衰期很長，幾乎要「永世經營」，因此存放的地點就成為問題中的問題。

目前存放地點是達悟族世居的蘭嶼，除了引發「如果沒有危險，何必放這麼遠」的質疑聲浪，更牽扯出漢人欺負原住民的族群問題，以及中央欺負地方、城市欺負偏鄉的政治問題，因此核廢料存放蘭嶼實非上策。

仔細思量，其實最好的存放地點應該是總統府的周

邊，如此做的好處甚多，至少有以下數項：

① 為保重要人士安全，廢料桶必然更加堅固耐用，絕沒有破損及洩漏之虞。

② 總統府對照蘭嶼，彰顯公平正義，台灣的人權紀錄必然竄升至全球第一。

③ 先天下之危而危、後天下之安而安，總統民調必然大幅提升，至少翻一番。

④ 凱達格蘭大道上的抗爭及埋鍋造飯必然大幅減少，總統府四周的維安也可簡化，節省大量社會成本。

⑤ 為減少核廢料不斷堆在總統府四周，再不用反核人士多說一句，「大人們」必然自動極力宣導，說服民眾核四不該重啟，核一、二、三宜早日停用，無核家園指日可待，綠能產業也必能大發利市。

⑥ 台灣必然成為全球反核的聖地，朝拜者絡繹不絕。觀光局可善用此觀光資源，開發套裝行程，先至台北賓館聽取簡報及觀賞紀錄片，再搭乘配備鉛玻璃及鉛板的防輻射觀光巴士，繞行總統府一周，每名觀光客收費20美元，以挹注電費，也算是一種「綠能」。

⑦ 目前殺紅了眼競逐大位的諸候、天王、天后、星星、月亮、太陽們，必然轉念，不但互相禮讓，甚至推諉，社會一片祥和，實為國家、萬民之幸。

花了4,000億的核四怎麼辦？可改建為全球空前絕

後、最昂貴的紀念碑，向全球徵求命名。但因已耗資過多，因此第一名只給獎金1美元，同時與總統府一同成為全球反核聖地，納入套裝行程。台灣觀光人潮不斷，應可回收不少核四興建費用。

有人問，總統府周邊空間有限，如果都堆滿了怎麼辦？沒在怕，別忘了我們還有行政院及立法院。

47

信仰的善與惡

> 信仰既可成就人類，也可使無數人頭落地，
> 全看它是良善或是邪惡而定。

　　有信仰的人有福了，因為知道自己為什麼而活。人類是從古至今，唯一的一種物種，會不斷自問自己從何處來？往何處去？為什麼有「人」？為什麼有「我」？人生的意義何在？而有了信仰，這些問題就有了答案，人就可以確定自己生命的意義，也讓生命有了力量。

信仰的力量，巨大無比

　　孫中山先生在《三民主義》第一講說道，「大凡人類

對於一件事，研究當中的道理，最先發生思想，思想貫通了以後，便起信仰，有了信仰，就生出力量。」信仰的力量巨大無比，例如歐洲自中世紀開始，各國君主為了鞏固統治的正當性，主張「君權神授」的思想。直到英國哲學家洛克（John Locke）、法國思想家伏爾泰（Francois Voltaire）、盧梭（Jean Jacques Rousseau）等人，研究了人與宗教、政治間的道理，發生了思想的轉變，提出「人權自然論」、「天賦人權」等等主張，成為他們的政治信仰。這個思想及信仰普遍化之後所產生的力量，促成了法國大革命、美國獨立戰爭，以及之後許許多多集權國家及受欺壓的弱小民族，紛紛進行民主革命及爭取獨立，讓國際政治及社會發生了驚天動地的變化。

另一方面，信仰的力量也會造成生靈塗炭，希特勒的種族主義信仰，讓千百萬德國人為其效忠，集體陷入瘋狂，造成德國及歐洲多國人民的重大傷亡。第二次世界大戰，整個歐洲因戰爭死亡的人數達3,500萬以上。日本大和民族至上的信仰，也造成中國1,800萬以上，東南亞國家難以計數的冤魂，及日本300萬人的死亡。還有19世紀馬克思的〈共產黨宣言〉（1848）及《資本論》（1867-1894），造成俄國、中國二大國家，及東歐、亞洲、南美諸國的共產革命，東西方冷戰超過半世紀，影響何其深遠。毛澤東在個人信念下，推動了大躍進及文化大革命，更不知餓死及鬥死了多少中國百姓。

宗教戰爭幾乎構成半部人類史

政治如此，宗教也是如此。神是否創造人不得而知，至今無法證明為是或為非，但幾乎所有的神都是人創造的。所有宗教信仰中的教義、儀式、神像或符號，全是人創造的。《人類大歷史》（*Sapiens*）、《人類大命運》（*Homo Deus The Brief History of Tomorrow*）二書的作者，歷史哲學家哈拉瑞（Yuval Noah Harar），雖然出身宗教信仰虔誠的家庭，但強烈主張神是人創造的，讓人類因信仰而能賦予自己的生命意義。

然而，因宗教信仰引起的殺伐，還遠遠超過了政治信仰，宗教戰爭史幾乎等於半部人類史。太遠的不說，十字軍東征，基督徒與回教徒互殺了二百年（1096-1291），一直殺到近日的ISIS的對抗基督教文明；緬甸的佛教與羅興亞人；巴爾幹半島（一次大戰的引爆點，被稱為火藥庫）的基督教與回教戰爭等。就算是同一宗教，不同派系間也常殺紅了眼，如英法的三十年戰爭（1618-1648）、北愛爾蘭的天主教與基督教內戰（近年才得和解），而近年來回教什葉派與遜尼派的殺伐，幾乎無日無之。

如何分辨善與惡？

信仰既可成就人類，也可使無數人頭落地，全看它是良善或是邪惡而定。但如何分辨信仰的善惡，卻是很困難

的一件事。某個信仰是否以人為本，是否尊重生命，或許是個判別方法。「神愛世人」，世人有貧富貴賤、不同種族、不同宗教、有男有女、有賢有愚，都宣稱為神所愛，這應該是好的信仰；「普渡眾生」要超渡包含各種特性的芸芸眾生，應該也是好的。以愛生命為出發點的德瑞莎修女，奉獻一切給印度貧民，即使身處異族及不同宗教的社會，仍能成就其偉大。

那麼，何者是「不恰當」的信仰呢？因缺乏敬天愛人思想，只要認定他人為「異族」，特別是「異教徒」，就加以排斥、欺凌、勞役及殺害，這是信仰造成血腥的源頭，如早期美洲基督教白人對待黑人及印地安人；紐澳、台灣、日本主流人種對待原住民，以及永不休止的宗教戰爭。再者，要信徒捐出財富，甚至身體性命，專供教主享用而非用於眾生，則定屬邪教，應極力避開。

只要是信仰，不管是政治還是宗教，都具有巨大的力量，但唯有倡導及實踐愛及尊重生命的信仰，才能帶給人們幸福及喜樂。

48

三地PK什麼？

兩岸三地性相近、習相遠，
習性逐漸發生差異。
既然如此，應該PK什麼最有益呢？

　　台灣、大陸、香港，一個受日本殖民50年，一個從1841年至1997年為英國屬地，而大陸至今仍在「維民所止」（「雍正無頭」的文字獄）。雖均屬華人世界，語文、宗教、文化基本相同，但因為政治、經濟的歷史發展不同，習性也逐漸發生差異。差異在哪裡，還真說不清楚，陸、港、台各一人坐在捷運上，不開口，常分不出哪個不是台灣人，但只要三、四個坐一起，就算不交談，大多都可立即分辨，如果你要問怎麼看得出來，只能說是一股不同的習性吧！

在傷人武器上花錢，最蠢

　　既然習性不同，就有比較，兩岸三地要PK什麼呢？最笨的就是PK軍事，中國軍費支出世界第二，年增8.1%，超過1.1兆人民幣（5.1兆台幣），5.1兆台幣真不知可做多少事！而全世界國家，包括台灣在內，絕大部分的武器都不是打仗使用掉（好家在，不然要死很多人），而是過期作廢。看一下美國戰機墳場，包括B-52在內，排到天邊，還要花一大筆錢去銷毀；最可怕的是全球遍佈的地雷，埋要花一筆錢，銷毀常更花錢（金門也是），世界各地無辜百姓、孩童因誤觸而傷亡者，不計其數。

　　不PK軍事，PK政治如何？如果PK哪個更民主、更自由，當然很好，但實際上大多數時期是在PK哪個更強大、更有影響力，要對方屈膝臣服。

　　PK經濟如何？總比PK軍事、政治要好得多。但只PK經濟成長率，把餅做大，但不考慮分配的結果，餅越大，多數民眾越窮。再以經濟力強化軍事力及政治力，反造成民眾痛苦。蔡總統一再聲稱各項經濟指標20年來最好，但就是沒說貧富差距是20年來最糟，增加的錢都給頂層的1%拿走了，大家就更窮了。

聰明的「愛心騙子」

　　那最好要PK什麼呢？當然就是愛心。有一群台灣人

長期在香港經商致富，認為三地需愛心幫助者不少，於是創立了「港澳台慈善愛心基金會」，每年在三地遴選深具愛心的個人或團體，給予獎金及表揚，當選者獎金從早年的20萬港元，逐漸提升至13萬美元。

歷屆獲獎人各有不同的身份、地位、方式，從以2/3收入捐助家扶及育嬰院的工友兼回收工作者、微薄收入做公益的正宗賣菜郎；到以公益為企業使命的大企業家；或是本身就是終身公益人；或因擔任記者受命訪問涼山，就此與當地官僚奮鬥了13年，讓痲瘋村的小孩獲得戶籍及上學的機會。這些得獎者有人獨力奮鬥，也有人引領團隊共同努力；但相同的是，對困境者拉拔一把的愛心，直可感天動地。這種PK可真苦了評審委員，特別是終審委員，愛心高下，常難於比較，內心糾結，遺珠之憾，久久難忘。

基金會創辦人林添茂不過是一名普通的在港台商，除了自己出錢出力，還能讓在港台灣人共同出資，連辦13屆，並期待辦理華人甚至世界愛心獎。此基金會可說是聰明的「愛心騙子」，自己沒有能力發掘每個需要協助的人，就挑出行善的個人及團體，借他們之手散布愛心。受獎者從未有人將獎金用於自己個人，在受鼓勵之後，多以數倍，甚至數十倍用於善舉。

可惜此獎跨越三地，在今日政治氛圍下，除鳳凰衛視，三地均少報導。最美的三地PK，請三地媒體及賢達多多推舉愛心人士，再PK一下。

49

菜金菜土，解決不難

網路科技加上資料庫，

就可預測產品上市的時間、數量、價格。

供農民自行調整種植的面積，一點不難。

我充當筍農已超過25年，每年清明之後，至遲到端午的綠竹筍盛產期，每星期至少要入園採筍兩次。此時天氣已又熱又悶，蚊蟲又多，每次入園必滿身大汗，出園至少減重1公斤以上。返家後來杯啤酒，體重雖馬上恢復，無益減肥，但其冰涼何止人間美味，簡直勝過當神仙。

因為竹筍產量多、品質好，且我又被譏為「公教肥貓」，雖被強制減肥，至少尚不愁吃穿，只好到處送筍。種筍是個人嗜好，也是健身活動，若干友人不明事理，也要求體驗一下。說也奇怪，蚊子也認主人（可能因為產生

對當地蚊子的抗體），專咬來賓，雖讓他們腰掛蚊香，仍被咬得全身發癢，坐立不安，不也快哉。

菜貴傷民，菜賤傷農

如此年復一年，漸漸發現左鄰右舍，平時打招呼聊天的「筍友」一個個不見了，一片片的筍園荒了，包括自己在內，看不到黑髮的筍農。近兩年因椎間盤突出，再也不能彎腰採筍，家中後繼無人，眼見園子也要荒了，幸好鄰近社區有中年上班族，對農事也算在行，拔力相助，業餘耕種收成大半歸他銷售，每星期分我若干，因此尚能吃到自家的筍子。

我的個人經驗好比是台灣農業的縮影，台灣農夫集中在65歲以上，比25-39歲的務農人口還多。農業不斷萎縮，休耕的農地不斷擴大，若世界因氣候變遷，發生糧荒，台灣糧食自給率偏低，必成重大國安問題。

農業單位雖也採行不少措施，如鼓勵年輕人返鄉務農、小農委託代耕、擴大農場規模，甚至引進外勞等，但對菜土、菜金一事卻一直沒有作為。不論是高麗菜、香蕉、芒果、大蒜、洋蔥，甚至豬肉、雞蛋，有時價格高得驚人，有時產量過剩，不是犁入田裡當綠肥，就是倒到河裡。菜貴傷民、菜賤傷農，不斷上演，對農民來說，不管種什麼、養什麼，都是在賭博，因此說農民在務農，不如說是在參加賭盤。產量價格不穩定，才是台灣農業的大

傷，也是農業部門失職的地方。

資訊完整透明，就可解決問題

解決之道其實一點不難，現今社會科技如此發達，只要建個App或網站，讓農民登錄什麼時候種了多少分地的哪種蔬菜水果，根據以往資料，就可推算什麼時候有多少產品可以上市，價格約為多少。農民得此資料，便可自行調整種植的面積。至於養殖的雞、豬，受天候的影響更小，可預測性更高。

至於鼓勵農民用手機或網路登錄資料的方法很簡單，凡是有登錄的，將來不管因何原因導致價格崩盤，可以優先獲得補助及保證價格收購。就算老農不會使用電腦或手機，也可請鄰人協助。

這App或網站都不難，相信台灣至少有100所大學有能力開發，只有歷史性資料庫的建立稍微費點功夫。如果農委會還不做，在此籲請郭台銘幫個忙，另再捐個一、二十億補助及收購基金，必能造福農民。

50

吸毒無罪，販毒嚴懲

防治毒品泛濫最上策為消除毒品市場，
讓吸毒者不再為了找錢而尋找下線，
誘使他人使用。

　　台灣毒品氾濫，已到驚人的地步，特別是第三、四級毒品價格較低，取得較易，且常「變裝」為糖果、咖啡包、梅子粉，讓年輕人缺乏警覺，因此成為開趴必備，廣泛流行於青少年，甚至小學生之間。

　　三、四級毒品，如K他命、一粒眠、FM2等等，其危害及上癮程度雖不及一級毒品（鴉片及其衍生物，如嗎啡、可待因、海洛因）及二級毒品（安非他命、大麻、搖頭丸、LSD等），但常是進入一、二級毒品的「入門」，因此危害絕不可輕忽。一旦進入一、二級毒品，人生可算完

蛋九成。

現行方法，是「無效矯正」

目前監所及勒戒所一直維持3-4萬名煙毒犯，占矯正機關收容人犯的三、四成，造成監所超收20%，擁擠不堪，管理及生活品質低下。令人警示的，煙毒販不斷年輕化，青少年比率從97年的14.5%升至近年六成以上。更嚴重的是所有勒戒者離開矯正機關或勒戒所後，除少數意志堅定，特別受到宗教力量支持者外，幾乎九成以上再犯，無法脫離苦海。

因此社會對煙毒犯所支付龐大的社會成本可謂是「無效矯正」，更有甚者，長期使用毒品常造成腦部病變，無法自我控制，常為購買毒品，不擇手段，甚至對自己的親人長輩痛下毒手，加以殺害，更遑論隨機搶劫、殺人，有時只為區區數百元，這些毒癮者可謂已經精神喪失成為社會上的不定時炸彈。又由於在黑市販賣的毒品純度不一，癮者甚難判斷，且在毒癮發作下，每每吸食使用過量造成死亡，每年在10-20人左右。

防治毒害，首在消除毒品市場

煙毒造成台灣莫大傷害及無可計數的社會成本，多年來結合司法、衛生等部會花費龐大人力、物力，至今績效

有限，其根本問題為無法消除煙毒市場。

　　毒品因係非法物品，其販售及擁有為犯罪行為，成癮者又難以戒除，因此為高利潤的地下行業，使用者必須負擔高額的費用。籌集毒品費用最普遍的方法就是尋找下線，誘使他人使用，毒癮者成為販賣者，形成毒品市場的老鼠會，這是大毒梟的最佳策略，全球各地莫不如此。

　　防治毒品泛濫最上策則為消除此毒品市場，目前最佳且幾乎是唯一的方法是由政府販賣，將毒癮視為精神及社會適應不良者，公告一定期間前來登記，由政府定期定量售予，其品質穩定，價格必然低廉，費用為成癮者可以負擔，減少犯罪動機，至於未在期限登記者，一經發現，則依目前法律判刑及勒戒，販毒者目前法律已有嚴懲，只是高利潤下，殺頭的生意有人做。

　　公開登記，政府提供，必然消除毒販，成癮者也不須再找下線，毒品市場消失，防治毒害才能見效。然衛道人士及司法界必大不以為然，有不少反對聲浪，但由衛生所以低價提供清潔針具不也有效減少共用針具引起的愛滋病傳染？多元販售保險套不也對性病防治有所助益？

　　此外，毒品現象與食安問題相仿。台灣的「食品安全衛生管理法」修法之後，只要檢舉成功，食安罰金高百分比歸檢舉人，特別是員工當「吹哨者」，一次檢舉獎金或可超過一輩子的退休金。越大型食品業，產品經手員工越多，因此不法食品業者日夜擔心檢舉人就在身邊，這比什麼加入設備、食品履歷都要有效。

因此，反毒亦應該修法，吸毒者只要供出販賣者，並經確認，一律除罪，不但加以輔導戒毒，還發給販毒者販毒所得八成為獎金。零售毒品者供出上游中、大盤亦是如此，也就是吸毒者及販毒者自絕毒品來源。順藤摸瓜，不出若干時日，沒人販毒，自然毒害減少，才是反毒之道。

51

回到基本面，改善食安

提高預算與人力，

整合現有與食品安全有關的單位，

建立完整食物鏈的流程，

由專責單位負責，才是改善食安的良方。

　　翻開台灣公共衛生史，1979年記載著多氯聯苯（PCB）中毒的嚴重食安危害事件，肇因於彰化油脂公司在製造米糠油的過程中，使用多氯聯苯做為熱媒，卻因管線破裂，使多氯聯苯滲入米糠油裡，造成全台至少有2,000人因吃到受污染的米糠油而受害。

　　由於多氯聯苯會導致肝臟、腎臟、心臟、胃腸疾病、自律神經失調等數十種病症，同時多氯聯苯中毒的女性，會經由胎盤或哺乳，將體內的毒素傳給胎兒，這些油症兒（或稱為「可樂兒」）在出生時均有皮膚發黑、眼瞼浮腫、

免疫功能受損等問題；長大之後，則可能產生智力與體力發展遲緩、皮膚會出現含有惡臭的類似青春痘的病變等。

當時隨著官方調查告一段落，彰化油脂負責人被判刑入獄，衛生官員也公開表示「多氯聯苯中毒的人，已經都好得都差不多了」。一場喧騰多時的事件，便逐漸地為人所淡忘了。豈知，受害者吃進肚子裡的毒素，竟無法完全排出體外，也就是說，打從中毒的那一天起，他們再也走不出多氯聯苯的陰霾。

強勢改革，才能浴火重生

台灣多氯聯苯中毒事件發生後的20年，歐洲小國比利時同樣經歷一場食安風暴。1999年該國爆發了戴奧辛（DIOXIN）汙染食品事件，當時農畜飼料受戴奧辛汙染，濃度超出標準千倍，當時比國政府反應慢半拍，導致汙染快速蔓延，還引發全球恐慌。最終歐盟執委會強行介入，發出禁售令，所有相關的肉品及奶蛋製品全數下架、禁止出口，也重創比國經濟產值4.37億歐元，甚至直接導致執政黨在3個月後輸掉政權。

但比國政府痛定思痛，進行組織改造，將四個隸屬農業部門與二個公共衛生的部門整併為食品安全署。接著建立源頭管理與稽核制度，將整個食物供應鏈流程皆納入管理，落實從農場到餐桌的食物鏈所有環節。

20年後的今天，翻閱比國官方統計資料，該國製造業

中，食品業的產值最大。他們從食安危機中浴火重生，透過強勢變革的決心，如今米其林餐廳雲集，吸引來自世界各地的遊客造訪。

反觀台灣，40個年頭過去了，台灣食品安全事件史中，從因經濟發展造成的環境汙染了食物鏈，到最近這些年摻假或違法添加物質等事件，層出不窮的發生，還有喧騰一時的黑心油品事件等，其對人體健康的慢性隱形傷害，以及民眾對食品安全問題，所期待的最後司法防線的失望，豈是一紙無罪判決所能盡言。

經費、人力、組織，都該重整

然在我們對司法判決沮喪之際，除了遙盼天佑台灣，有更多有良有腦的法官外，就長遠計，是否回到政府組織的基本面，尋求改善食品安全管理的良方。

首先，比較比利時與我國投注在食品安全的預算與人力，比利時的國土面積與台灣差不多，約3萬5千平方公里，人口約只有台灣的一半。而該國2014年食品安全署的預算166.8百萬歐元（約台幣588億），編制人員1,310人。台灣食品藥物管理署的預算22億，編制人力600人，這些經費與人力還包括執行藥政管理的業務。

再者，在食品安全的管理組織上，也該深切檢討。比較世界先進國家的食品安全管理體系，約可分為二類，一是食品與藥物合在同一組織，二是食品與藥物分屬不同組

織管理。在台灣，我們選擇了食品與藥物在同一組織的型態，但這些年的運作，很明顯的無法保證從農場到餐桌的食品安全。

　　目前與食品安全有關的政府單位，分屬衛福部與農委會的多個業務處署，是否在經歷這些食品安全事件後，政府該大刀闊斧的改革，整合現有與食品安全有關的單位，從源頭管理、食品履歷、產銷制度，到食品衛生的查驗稽核等，整合食物鏈的流程，由專責單位負責。否則政府宣稱「確保食品安全，維護每一個人吃得健康，給生活最安心的保障」，也都只是口號而已。

52

食安何處去？

納入民間人力、物力，共同監督和檢驗，
再以最高標準判決、重罰，
台灣的食安或可有進步的希望。

　　台灣每隔一段時日，便會出現食安事件引發危機，顯見以往作為及今日體制，根本無法因應民眾「食的安心」。

　　首先，食品業者從生產、進口、加工各階段廠商，一直到路邊攤，上午、中午到晚上都有關門的，也有新開的，只有上帝才知道台灣有多少家。另一方面，從生產、進口、調配加工到第一線成品，種類何止千萬，社會資源有限，源頭及履歷管理僅能抓大，對於小農生產及家庭食品業只得放小。

檢舉與檢驗，雙軌並進

　　再來是檢驗。大眾要認知，所謂檢驗係針對指標性項目檢查，「檢驗合格」是指檢驗的項目尚合乎國家當前標準，但沒檢驗的項目就不得而知了。一定有民眾疑惑，既然如此，為何不檢驗「所有的項目」？

　　但是這世界上有毒物品、化學的、生物的、放射的，千千萬萬種，通通都檢驗，在實務上不可行，也沒必要。例如奶粉中本來根本不可能有三聚氰胺，所以不會將其列入檢查項目，而是在不肖商人加入，發生事故後，才列入檢驗項目。再如生物汙染通常只驗最常見的大腸桿菌，若是霍亂、傷寒、A型肝炎病毒等通通都驗，徒然浪費資源。如要「所有項目都驗」，恐怕這世上就沒有食品業者，大家也都沒有食物吃了。

　　加上目前各級衛生機關的人力預算，根本沒有能力對全部的食品業者稽查、檢驗。每次發生食安事件，衛生機關相關部門人仰馬翻，不數日總有一批人棄公從業者去了。又清者自清、濁者自濁，在鈔票至上之下，要全部或多數業者自律，根本是緣木求魚，因此不在制度上重大改變，食安永遠難安。

　　改變之道，首在納入民間龐大的人力、物力，加強檢驗。台灣有能力從事食品、毒物、化學品檢驗的大學及實驗室，何止成百上千。請這些機構的師生在市面上自行抽驗，發現問題交由衛生機構複驗，若確定真有問題，給予

一定額的獎金及業者罰款的一半，金額無上限。另業者內部員工檢舉（吹哨者）確定後，也給予罰金的一半。就如同小偷、強盜，若認為警察（包括便衣）就在你身邊，就可大幅減少心存僥倖者。

重判重罰，絕對必要

再來是重罰。目前一罪不兩罰，刑法優於行政罰，黑心商人寧可坐牢三、五載，出獄後就是億萬富翁，哪有在怕？重罰絕對必要，該不該死刑是一回事，但大陸再多槍斃幾個地溝油業者，未來台灣人恐要爭先到大陸採購食品了。因此行政罰（罰款）與刑法應並行不悖。

另外，目前法官要求受害者要證明自己健康受到損害，才能獲得賠償，但這些有毒或不健康食品，通常要累積多年才能造成明顯的傷害。然而社會上不利健康的食品何其多，相乘相加，危害健康甚鉅，台灣洗腎人數世界數一數二，不良食品必是原因之一。因此法官要加油或是要修法，只要文獻明確證明有害，就應獲得賠償。例如美國菸商就因遭集體訴訟賠上天價，集體訴訟賠償金額可做消費者保險，及提升食安的經費。

政府一窮二白，增加食安人手及預算力有未逮，應比照「菸害救濟法」，一定規模的業者及進口商，要交一定比率的食安基金，超過上限則不再提撥，以為食安賠償的基金。這筆基金至少百億，除賠償一般消費者外，購買

GMP但卻不合格食材的小型業者，商譽受損，消費者流失，接受退貨，幾近破產、生活無著，也應是受賠償的對象。至於GMP認證的重組與改革更不在話下。

53

找人、找錢，
避免長照成芭樂票

長照支出只要用在刀口，就是好的支出，
可用菸酒捐挹注；再請每人貢獻一年給社會，
就可解決錢與人的問題。

　　政府目前提出的長照 2.0，主張在地老化、活躍老化；
以社區為中心，提供小規模多功能服務，包括居家服務、
復健、護理、交通、輔具、機構、喘息、送餐等等，洋洋
灑灑共 17 項，各界引領期盼。

沒錢，就沒有人

　　然而，錢雖不是萬能，沒有錢卻萬萬不能。長照 2.0
每年需要 400 億，相較原來設計的長照保險 1,200 億（只佔

GDP不到0.6%，而OEC國家是1.2%）已相差甚遠，何況政府預計以指定稅收（遺產稅、不動產交易稅、營業稅）支應，但遺產稅、不動產交易稅十分不穩定，營業稅修法已是個問題，而且是窮人稅，因為基層民眾日常支出占所得大部份，而愈富有者，支出占所得比率就越低。林全前院長說，提高營業稅是讓富人付的多，這是指絕對金額，卻不提稅金占所得的比率，是故意誤導。

沒錢，自然雇不到人。目前因長照服務者待遇低下，沒有尊嚴，民眾只好依賴20萬以上外籍照護工，但因語言風俗不同，總是外人，故易有虐老案件和雇傭之間的糾紛。況且大陸、東南亞各國近年經濟成長快速，愈來愈不願輸出看護工；加上看護工多為青壯年婦女，讓她們離家棄兒來台工作，也不人道。長照2.0若無法解決，人力問題就會成為長照2.0的另一個罩門（志工可輔助，卻不能主導）。

菸酒捐挹注長照，利大於弊

長照必有支出，支出並非不好，某些人的支出，必然成為另外人的收入，也是促進經濟發展，只要增加的支出用在刀口上，而非大量納入財團口袋，就是好的支出，不妨以增加稅捐方式支應。

台灣的菸品相較其他國家，尚屬低價，而吸菸增加癌症等健康風險，故菸品健康捐可再提高。目前菸捐每包20

元，全年可達233億，但僅0.1%挹注長照基金，建議可將菸捐提高到40元，並全數挹注長照基金。而酒後開車增加不少傷亡導致需長期照護，若先從烈酒（蒸餾酒，20度以上）加收每公升50元或以上，充做長照費用，也不算牽強。此種財源可減少酒駕，又可充實長照財源，利大於弊。

人力問題的解決方法，則可要求每人一生至少貢獻一年給社會，男性當兵或服社會役，每名女性一生也應投入社會服務一年，在經過一定期間的培訓後，從事長照及協助年輕家庭照顧幼兒。如此有錢、有人，長照或可不成為芭樂票。

54

健保的最後一哩路

> 若健保達成由「健保會」自主運作，
> 就會成為台灣唯一立法規定實施，
> 但由公民團體自主管理的體制，
> 真正走向了完善的公民社會，意義非凡。

　　台灣健保實施已近1/4世紀，若從1988年開始規劃算起，更已努力逾30年，即使問題很多，但相較之下，仍足以傲視全球。然而為何說健保尚未成功？因為健保尚未完成真正由「利害相關人」（stakeholder），也就是付費者（全民）及醫療提供者，共同管理及負責（accountability），達到可永續經營的地步。

　　規劃健保體制最簡單的方法，就是照抄當年的公、勞保制度，但那是威權時代的產物，行政權獨大，執政者具有高度牧民與父權的心態，福利是黨國給民眾的恩賜。勞

　　　　　　　　　　　　中華民國如何不亡！？

保、公保雖設有由勞資雙方代表組成的監理委員會，但基本上只是聊備一格，不能決定費率、給付範圍與水準，當然也不用負責財務平衡與永續經營，一切都是當政者說了算。不管如何精算，一到立法院，費率一定打折，給付一定加碼，反正虧空是未來當政者及後代子孫的事。

健保若照單全抄襲公、勞保體制，必然發生「健保不能倒，醫療不能少，費用不能漲」，而醫界天天抱怨「吃不飽」的困境；行政部門夾擠在醫、病之間，也必然虧空連連，形成一個大災難。

再者，當年吾等受經建會邀請規劃全民健保時，台灣已逐漸走向民主社會，在今日台灣立法院民粹及效率低落的實況下，若由立法院決定費率、醫療給付項目及支付標準，結果如何，大家可想而知。

簡單的說，如何建立可以課責的財務責任制，讓健保可以永續，是1988年規劃健保時的核心任務，也是2011年受李明亮前署長之命，從事健保體檢及接著二代健保規劃和立法的核心工程。

減少委託人，讓全民負責

要建立全民共同參與負責的健保體制，理論上就是要減少委託人（principal）及代理人（agent）的層級。若按現行體制，民眾是委託人，選出立委做代理人，代理全民立法及監督政府；然後立委又成為委託人，委託行政院做

代理人；接著行政院成為委託人，委託其下的衛福部；衛福部又委託健保署；最後健保署也成為委託人，委託醫療院所做為代理人，提供醫療服務。然而層級越多，權責就越不分明，權利大家搶要、責任大家推卸。就如出國找旅行社（agent），一再轉包，一但出事便相互推諉，找不到負責者了。

因此健保第一期規劃時，就擬成立一個由付費者代表（付代）、醫療提供者代表（醫代），及學者專家共同組成的委員會，決定及負責健保的醫療給付總額、費率及支付標準等，同時肩負健保財務平衡責任。委員除學者專家由部長遴聘外，餘均由各相關利害團體推派，如勞工、漁民、農民、雇主及醫界團體，再由部長必然遴聘；健保署則是在此委員會下的執行機構。如此，便將立法院至健保署的委託代理層級全部省略，大大簡化了體制，明確了權責。

然而此改變太大，社會各界都需要學習，若干長官仍以大權在握為職志，因此仍然比照勞保，設立近似狗吠火車的監理委員會；又另在健保法下，依前述精神設立「全民健保費用協定委員會」，簡稱「費協會」。當時主事者對設立此委員會頗有疑慮，所以直至健保實施一年半後（1996年11月）委員會才設立，第一個部門總額，即牙醫總額，則遲至1998年本人擔任主委時才敲定，2002年全部總額才完成，此委員會對一代健保「付代」及「醫代」間的互動溝通及費用控制，有很大的貢獻。

「醫貴傷民」、「醫賤傷醫」，費協會談判協商的結果，必然是雙方都不滿意，但終必妥協，勉強接受，以達到付費者與醫療提供者相互制約，減少政治介入。只有當雙方僵持不下協商不成，才由部長裁決。多年前，若干立委對費協會多有微詞，認為費協委員權力太大，決定5、6,000億大餅的分配。然而「付代」及「醫代」是醫療買賣雙方最直接的利害關係人，因此各層級的委託人及代理人，就少有說話的餘地。

自2000年以來，費協會逐漸形成不少慣例，例如主委均由非「付代」、「醫代」、官員的學者專家擔任；對總額協商的結果，不論牙醫、中醫、西醫基層及醫院總額，歷任部長照單全收，因更改某部門的總額，必然導致其他部門的異議，有如拿磚砸腳，至於其他行政及立法部門則更無法介入。

公民社會的表徵

但費協會只管支出不管收入，仍未能落實財務責任制，導致2010年時，健保財務逆差達到600億，且每年持續增加虧損2、300億，產生重大財務危機。經過當時的衛生署多次向行政院報告，及向各界說明，終於調整費率。承蒙民眾支持，未發生署長下台或民眾上街頭的事件，且健保財務因而穩固，可至少支撐數年。吾等期望這是最後一次由行政部門啟動費率調整，因為在二代健保修法時，

吾等主張將只管支出的費協會與監理會合一，設立「健保會」，其權責包括健保財務責任，且此項提議獲得通過。

二代健保法通過後，目前健保已幾乎全由健保會自主運作。包括決定給付範圍、項目、支出標準，協定費用總額及平衡費率。各部門總額決定後，其總額管理及醫療審查，則主要由醫界各部門自行辦理。唯一尚未達成的，就是健保財務再度產生逆差時，健保會能否嚴謹公佈新的平衡費率，並得以落實執行。

若能走完這最後一哩路，台灣的健保基本上就符合德國自1983年起實施的健保制度，由健保的主人，亦即「付代」及「醫代」自主管理；也會成為台灣唯一立法規定實施，但由公民團體自主管理的體制。這代表台灣在逐步學習後，真正走向了完善的公民社會，意義非凡。唯有達到此地步，健保才能永續經營，也才算大功告成。

55

預防保健應納入醫療給付

人人都知道「預防重於治療」，
將低成本、高效益的預防保健納入，
才是貨真價實的全民健保。

　　國際著名醫學期刊《刺胳針》（*Lancet*），2017年對世界各國從1990到2015年的衛生醫療水準做了評比，台灣一向以衛生醫療水準自豪，卻僅排名45，遠遠落後日本的11、南韓的23，自然感覺臉上無光，但卻未對此結果深入探討，殊為可惜。

生病的少，又治得好，才是真好

　　該研究是將當前醫藥衛生可大幅避免的32種疾病，如

百日咳、破傷風、肺結核、子宮頸癌、乳癌、新生兒死亡及與生產有關的死亡（Maternal death，孕產婦死亡）等，每十萬人標準化死亡率（如果某國人口結構年齡偏高，粗死亡率必然高，所以要調整），最優的為100，例如台灣的白喉、百日咳，近乎100；孕產婦死亡，因為有全民健保，婦女都得到免費的產前檢查及接生，因此優於尚未完成全民健保的美國（95對82）；嬰兒死亡也是如此（73對69）。

但該文並非單對已罹病者（如洗腎病人）治療的水準，而是該國腎臟病死亡的水準，因此生病的人少，又治療得好，分數才會高。台灣腎臟病人（洗腎）多，雖治療水準不錯，但總死亡高，因此分數甚低，為50分。

該研究將全部國家，依社會經濟發展的水準，分為A、B、C三組，台灣為A組的第45名，然而想像中台灣不該那麼差。沒錯，台灣排名應在美國（35名）之前，因為該研究引用了錯誤的資料。

例如台灣子宮頸癌標準化死亡率，1991年為10萬分之10.9，然而在全面推動子宮頸癌篩檢後，篩檢率提升為56%，雖比「經濟合作及發展組織」（OECD）國家平均略低，但高於韓國、義大利，所以現在已很少發現二、三期的子宮頸癌患者，通常為零期，至多為一期，死亡率折半為10萬分之5左右，五年存活率提升為73.1%，高於OECD平均的64.6%，至少應有70-80分，而非68分（美國為77分）。

子宮頸癌減少，子宮癌自然隨之減少。加以台灣麻疹的預防接種率一向近100%，也幾無個案，應為100分，而非80分（美國100分）。只要調整這三項，台灣就在美國之上。

太重視醫療，預防保健落後

　　雖然台灣不是45名那麼差，但值得檢討之處卻十分嚴峻，例如肺結核防治不如歐美（台78分、美97分），就是因為台灣太重視醫療，預防保健落後，因此臨床醫療（如洗腎）水準再怎麼提升，改善效果都有限。2017年，用於預防保健的預算不過76.9億（包含國健局26.4億、疾病管制局50.5億），跟健保的6,000億根本不能相比。

　　加上台灣衛生醫療的費用都在健保，預防保健均由公務預算支應，但台灣稅收嚴重不足，只占GDP的13%，是美、日、韓的一半，若依韓國的比率，少抽了1兆的稅。因此在一、二代健保，我們都強烈主張低成本、高效益的預防保健應納入全民健保，因為我們是「健康保險」，而非「醫療保險」。然而修法期間，有若干立委強烈反對，這些攻防可在立法院議事錄中清晰可見。未來三代健保，除了家戶總所得，預防保健也應納入醫療給付，才是重點中的重點。

56

落實分級轉診，
提高醫療品質

分級轉診是透過財務的手段，使病患分流，
最終目的是讓輕症、重症各得其所，
以提高醫療水準。

　　台灣因為就醫方便及民眾迷信名醫、大醫院等種種因素，醫學中心及區域醫院的門診、急診，總是門庭若市，而基層醫療院所則不斷萎縮，非常不利於醫療系統的正常發展。健保署為改善此種現象，提議不經轉診，直接前往醫學中心或區域醫院門、急診病人，加重其部分負擔，希望能達成「分級轉診」的目標。

　　然而分級轉診也只是手段，藉由病患分流，減少醫學中心、區域醫院門、急診的壓力，得以有充分的資源，照顧轉診來的複雜及重症病患，最終目的是讓輕症、重症各

得其所，以提高醫療水準。亦即，透過財務的手段，達到提高醫療照護水準的目的。若非如此，加重部分負擔就反而會成為阻卻弱勢者就醫的惡政（雖然重大傷病本來就無部份負擔，可直接赴醫學中心、區域醫院就醫）。

利用支付方式，加強改革力道

但是健保署的分級轉診方案，只在調控需求，而未能促使供給方（醫療提供者）進行任何醫療改革。所有醫療改革，從未有只改革需求方而不及於供給方，卻能成其事者。因此另一方面，也應該利用支付方式加強改革力道，亦即醫學中心、區域醫院未經轉診而來的門、急診病患，降低其支付標準，並提高轉診病患及住院病患的支付標準。日本十幾年前便已採取這種做法，雙管齊下，故能達到一定的成效。

雖然提高未經轉診病患的部分負擔，並不是為了健保財務，然而落實分級轉診，提高醫療品質，其結果必然能對健全健保財務有所助益，因此需以「財務中平」的概念，實施調整部分負擔。亦即將提高部分負擔的收入，用於降低基層就醫的部分負擔，如目前的50元降為40元；而對醫學中心等不經轉診減少的支付，百分之百用以提高經轉診及住院的支付標準。如此，實施轉診，在財務上不賺不賠，總額不變，只在就醫結構上導向結構合理。

一定有人說，這會造成「轉診診所」出現，專門開轉

診單給病患。但別太小看健保署的資訊系統，用統計分析一下子就可以找出這些少數害群之馬。也一定有人指出某些特例，分級轉診影響某個人的某次就醫。但天下沒有完美的制度（這是上帝或佛祖的事），只要是利遠大於弊，就該勇敢的實施，某些特例就用特例加以補救吧！

57

病患分流，
得到真正需要的照顧

台灣開業醫師的水準甚高，
這是台灣民眾的幸福。
就讓醫學中心去處理特別複雜的病人吧！

　　能夠方便的找到對的醫師，照顧好自己的病痛，又不用擔心高額的費用，是人間的幸福。台灣雖然不中，但相較其他國家，亦不遠矣。但如果觀察在各大醫學中心的門診，門庭若市是其次，多少病患及家屬焦慮的等待全掛在臉上，更不用說各大醫學中心的急診室，有的連走廊都排滿了觀察床，多少病患仰首等待奔忙的醫護人員關愛的眼神。

省下不必要的等待與焦慮

其實，其中很多等待與焦慮是不必要的，我因為過去工作的資歷，經常有親朋好友要我介紹熟識的名醫，幾乎有九成都被我「打槍」。隨便舉三例：一名女性友人自覺乳房有腫塊，要我介紹至台大醫院，但至少要排一、二星期才能做穿刺檢查。我建議她到市立婦幼醫院，當天就穿刺，兩、三天就得到報告。

又有一朋友的夫人希望到台大生產，問她狀況，並無任何其他病症（如糖尿病、心臟病、過度肥胖等，懷孕也正常）。我向她解釋，正常孕婦在台大幾乎全由住院醫師接生，如果到婦產科診所，只要沒有「惡名」，都是由一流的婦產科醫師接生，建議她就在原產檢診所生產，果然母子平安，省掉人情及奔波。

再有一位朋友是眼疾，他對我說：「你不是與醫學院長很熟，他夫人是眼科名醫，介紹一下吧！」一問詳情，只是一般白內障，台灣不知有多少眼科診所或一般醫院眼科，可從事此手術，何必跟別人擠呢？不如讓這些專家去處理特別複雜的病人，萬一將來有一天，你不幸得了非常困難的眼疾，也能獲得較充分的照顧。

基層診所水準高

幾乎每一項研究均顯示，70%甚至更高比率的醫學中

心門診，在診所、地區醫院就可治療。如果去請教台大急診處的醫師，敢肯定他們會說至少1/3，甚至一半不用到台大，一般地區或區域醫院就可處理，不用在急診室擠成一團，也讓真正需要的病患可以得到即時的照顧。我任衛生署長期間有二高，就近在署後方塔城街的中興醫院就診，就覺得十分奢侈，從未回我曾任職的台大醫院就醫。

台灣的醫師，雖然都接受良好的專科醫師訓練，但剛出道的年輕醫師，常被認為「嘴上無毛，做事不牢」，很難自行開業，通常是先在大醫院歷練，做出口碑，有了基本病患群，又不願被醫院管理者束縛，才出來開業。因此一般開業醫師的水準甚高，診所及地區醫院就能提供全民六成以上方便的就診，這是台灣民眾的幸福。

因此「分流轉診」是台灣未來醫療改革的重點，除了再進一步提升基層醫療的水準，擴大民眾宣導外，經濟手段也是方法之一。亦即酌情提高直接至區域及醫學中心的部份負擔；另方面，進一步降低基層就醫的負擔，是大家應考慮的重要改革。

不影響弱勢權利

有人開玩笑說，轉診轉來轉去轉到太平間。疾病有很大的不確定性，必然有這樣的個案，但一定也有更多的個案，因為就近就醫少了等待，而救回了一命。先經基層再轉診，既省荷包也不影響至區域醫院及醫學中心就醫的權

益。若自覺自己「命比較值錢」，那就多付點費用，分擔一些弱勢者的負擔（健保需要的大餅是一定的，富人多付一些，其他人就少一些）。

有人認為，不經轉診就到醫學中心，需加重部分負擔，會影響弱勢者的就醫權益。事實上，目前規定所有重大傷病（共30大類，數百種之多）都是直接去醫學中心，去區域醫院則可免部分負擔，因此不致有重大影響。至於有人擔心，將來某些診所會成了專門的「轉診診所」，這更是多慮了，健保署的資訊系統，可輕易找出這些醫療診所。

改革不易，這次是對的方向，就請衛福部及健保署，在實施前多花功夫向健保的頭家——民眾，詳細的報告吧！

58

當天價醫療遇上健保上限

> 沒有一個國家足夠富足到，
> 可以提供全體國人所有已知有效的醫療服務，
> 因此WHO倡議，
> 提供社會所能承擔的最大範圍有效益醫療照護。

生命誠可貴，特別是有高度療效的藥物可以使用時，健保理當給付。但資源有限，社會集體的能力雖然龐大，但也有其極限，我們願不願意共同負擔幾近天價的醫療費用？

醫療科技進步神速，最近的例子是新的抗C肝病毒藥物，治癒率達95%以上。此藥每劑1,000美元，每個療程至少要24劑，合台幣近80萬。目前全台估計有30萬名C肝患者，若全部給付就需2,400億，超過健保每年總支出的1/3以上；這還未算進每年新增病歷約1萬人。除了新

的抗C肝藥物，為能對癌症病人對症下藥，必須做基因檢測，每人3萬以上，老病患不計，每年新病患就有11萬，如果健保給付就是33億。更不要提每個療程需要100~150萬的質子或重離子治療了。

至於更多不斷快速發展的醫療科技，如基因免疫療法、人工器官、幹細胞製造新的組織及器官等等，在數年內，至多十數年，均將有突破性的發展。突破性的有效醫療，對病患來說固然是個好消息，但另一方面卻也是心理煎熬，若健保不給付，是否要不計代價全力治療？是否要回復到健保前傾家蕩產治病的困境？

資源永遠是有限的

沒有一個國家足夠富足到，可以提供全體國人所有已知有效的醫療服務，因此WHO在2000年的年度報告（The World Health Report）倡議「新普遍主義」（Neo-universalism），亦即提供全民，社會所能承擔的最大範圍有效益醫療照護（For everyone but not for everything）。因此之故，訂定某種原則，以決定何種醫療服務納入健保給付，有其急迫性。

目前台灣健保已建立「醫療科技評估」（Health Technology Assessment），以評估某醫療科技是否合乎效益，但仍未決定我們為此效益願負擔到多少成本。一個可行的辦法是用目前已有的方法，計算某項醫療可增進多少

「失能調整後的平均餘命」（disability adjusted life expectancy, DALY），再由健保利害關係人組成的「全民健康保險會」，議決每一個DALY花費的上限，例如是150名民眾的平均年度健保費用（每人約2萬元，150人約300萬）。凡是超過此數，只好由個人承擔或購買商業保險，此費用可2-3年重新計算。

這樣的決定雖然困難，且仍有不少倫理的爭議，但似乎是目前可行的方法。

59

醫療浪費的必然與改善

提供全民健康照護保險的世界各國，
都無法避免醫療浪費的問題，
但還是可以努力為節約健保資源盡一份心力。

從過去到現在，只要中央健康保險署發布財務警訊，各界批評聲浪總著力在「只會開源，不會節流」，特別是消極處理「醫療浪費」的態度，一直被外界所詬病，所以「醫療浪費」一直是衛福部及健保署心中永遠的痛。

然而事實真是如此嗎？綜觀WHO2010年度報告指出，世界各國20%至40%的醫療支出是被浪費掉的。例如當年度美國全年的醫療支出約2萬億美金，其中至少6,000億被浪費掉（台灣健保一年才200億美金）。換句話說，實施全民健保（或提供全民健康照護）難免會面臨「道德

風險」（Moral Hazard），也是外界所指稱的「醫療浪費」。依據相關證據，提供全民健康照護保險（或服務）的世界各國，都很難避免醫療浪費的問題，其中的差異僅在制度設計的不同，在程度上有所差別。

醫療浪費無法避免

分析台灣醫療必然浪費的原因如下列五點：

一、實施全民健保後，就醫與付費的時間點分開。

因為有健保，除了每月繳交保險費外，民眾使用醫療資源的當下，僅需付出少許的部分負擔，就民眾而言，就醫的價格已大幅下降。以經濟學的邏輯來看，價格下降，必定造成消費增加，其中包括必需的消費以及非必需的消費，造成整體醫療支出上升。

然而換個角度來看，平日繳納健保費，在風險發生的當下，只要負擔少許費用，即可使用醫療資源，避免發生因病而貧或因貧不能就醫的情況，正是良好醫療體系欲達成最重要的目標之一。

二、生命無價，只要有治療的機會，就不會放棄。

一般健康的人很難想像，重大疾病與罕見疾病患者面對鉅額醫療支出的壓力，每天一睜開眼，就要煩惱每月超過數十萬元甚至是每年超過千萬元的醫療費用。

雖然說生命無價，但這些病患想要延續生命，還是必須靠「價錢」來衡量。或許這些治療只對少數的人有效，但不用怎知結果如何？因此只要有治療的機會，病患就不會放棄，雖然屬於療效未明的方法，病患與家屬還是會堅持下去。

三、醫療提供者施行防禦性醫療，以避免醫療糾紛。

　　由於資訊的普及讓民眾健康意識日漸抬頭，對於醫師的處置有更多的瞭解跟認識。但是醫療存在很高的不確定因素與高風險性，即使同樣的醫療程序，對不同的病患常有不同的治療結果，在治療結果不如病患預期的情況下，導致醫病關係緊張。

　　因此，醫師為防止病人與律師的興訟，在有健康保險付費的情況下，普遍採取防禦性醫療，給病人做一些非必要的檢查和用藥，屆時若發生醫療糾紛，才得以自保。然而這樣的結果，就造成醫療資源浪費與醫療費用快速增加。

四、健康保險的風險判定與理賠，均掌握在服務提供者的手中。

　　健保制度下，判定是否發生風險（生病），由民眾決定，需何種理賠（治療），由醫師決定，均非保險人（健保署）可控制；且理賠次數比壽險（最多一次）及產物險（幾乎都未發生理賠）高出甚多（每人一生平均門診就醫

近千次，住院7-8次），道德風險機率（民眾浪費或醫界A健保），較壽險及產險高出不知多少倍。

這樣的管理機制，雖然提高民眾就醫的方便性與簡化就醫程序，但無形中已造成許多浪費與弊端。

五、人類無法制定「能阻卻不當醫療，但不妨礙尋求合理醫療」的部分負擔。

同樣金額對不同所得者「效用」不同，50元部分負擔，對富有者如無物，對一家四口分食一碗泡麵者，卻是一餐。全民健保目標是全民都可獲得必要的醫療照護，因此部分負擔只能低而不能高。部分負擔提高，雖然可以抑制某種程度的醫療浪費，但相對也提高就醫門檻，影響社會底層民眾的就醫權益。為了降低就醫障礙，社會就必須接受某些程度的浪費，否則乾脆不要健保，兩害相權只能取其輕。

健保減緩醫療費用上漲

因為有全民健保，醫療提供者需要申報費用及接受醫療利用的審查，我們才知道浪費在哪裡，若沒有健保，那麼醫師就可予取予求，該給什麼治療、什麼檢查、價格如何，各憑良心。因此醫療利用的適應症及價格（任何藥品或檢查），在列入健保後，價格均在健保署代表民眾審核議價後，大幅下降。個人對此通常無能為力，特別是緊急

狀態下。

　　因此如果比較健保前後醫療費用上漲的情形，則可發現全民健保後，費用上漲率比健保前為低。台灣如此，世界各國實施全民健康照護的國家，費用上漲都較未實施者為低，也是明證。

為節約健保資源盡一份心力

　　醫療浪費不可避免，是衛福部、健保署的原罪，但相信台灣的醫療浪費不見得比其他國家嚴重。即使如此，仍有以下五點減少醫療浪費的建議：

一、推廣生命教育

　　面對至親重病，家屬一致的想法是拜託醫師全力搶救，不論耗用多少醫療資源皆在所不惜。隨著科技的進步，的確有新的醫療儀器可延續生命，但經過數月的搶救，重病的家人還是被宣告不治，這種醫療處置是否有必要，值得深思。

　　由於「無效醫療」會造成資源與救治的排擠效應，因此有必要對民眾推廣生命教育的概念，認識「無效醫療」，並簽署放棄急救同意書（Do not resuscitate，DNR），才能減少無效醫療的浪費。就像安寧醫療一樣，經過多年來社會各界的努力，民眾對於安寧療護的接受度有增加的趨勢，也讓罹癌病人有尊嚴、有品質的過完最後

的人生。

二、推廣自我醫療

由於醫療花費耗去龐大的社會經濟成本，因此必須向民眾推廣自我醫療的觀念，包括預防重於治療，養成規律運動與培養固定的生活作息，注重營養的飲食，避免抽菸飲酒有害身體健康的生活習慣，並利用全民健保提供的預防保健服務，減少疾病發生。此外，應提倡民眾主動管理自我健康的能力，才能在疾病發生之前先預防，降低疾病的發生率。

三、落實分級轉診與家庭醫師制度

目前衛福部推動的分級醫療，是讓大型醫院提供急重症病患的照護，與醫學人才教學、訓練及研究的角色，至於小型醫院鼓勵朝社區化、專科化醫療與特殊醫療照護（如長期照護）等工作。民眾可從自身做起，建立「有病先到診所看，住院、手術或急重症才到大醫院」的觀念，不做不必要的檢查，不逛醫院、不囤積藥物，才能為節約健保資源盡一份心力。

四、檢討支付制度

過去的論量計酬制度，是醫師多看病、多給藥、多做檢查，即可向健保署申請越多的金額，因此醫師願意多看病人，增加醫院與個人的收入。為改革支付制度，使醫療

院所與健保署共同負擔財務責任，合理控制醫療費用的成長，需推動總額支付制度、論病計酬及論人計酬。此外，對於藥品與檢驗檢查項目，應建立合理支付價格與給付範圍，並加強相關查核，以減少浪費。

五、加重處罰違法盜用健保資源者

為追求健保的永續經營，對於健保資源遭到濫用、挪用、詐取的情況，除了實施總額支付制度與醫院自主管理以外，對於盜用健保資源並有重大違規事項者，應立即解除健保特約資格，撤銷其專業證照，以符合各界期待。此外，健保署應積極、有效的運用健保資料庫，稽查異常申報的情形，並即時處理相關情況，以遏止不法詐取醫療資源的惡劣行徑。

中華民國如何不亡！？

60

部分負擔無法解決
健保浪費

解決健保財務困難最公平的方法，
一是減少醫療供給者的弊端，
二是提高費率。

　　多年來為抑制健保浪費，健保署擬多方提高部分負擔，包括慢籤藥費比照一般門診藥費，超過100元部分，每一百元加收20元，上限為200元；多診次者，7-64歲每年超過31次者及65歲以上超過61次者，門診部分負擔加二成；西醫復健、中醫針灸、整復，原只第一次就診收部分負擔，改為第二次起均需加收50元；至於急診則醫學中心由450元提升為700元，區域醫院由300元升為400元，地區醫院由150元升為200元。

提高部分負擔，對弱勢大不利

　　價量互動，提高價格，必可減少消費，這是經濟學不變的原理，然而一利必有一弊，利常也是弊，弊有時是興利的必要之惡。從學理上及實務上，不論國內外，均不看好提高部分負擔，理由如下：

① 理論及實務上均訂不出可以抑制浪費卻又不阻礙必要就醫的部分負擔，不論50元或700元，對每個人效用不同，有人完全不當一回事，有人50元就是一家四口一頓飯的費用。我們不可能針對每個人訂定可抑制浪費卻不妨礙必要就醫的部分負擔。

② 部分負擔一提高，馬上影響弱勢者的就醫。全民健保的目的是消除就醫障礙，提高部分負擔就違反健保的政策目標，為維持政策目標就必須接受某種程度的「浪費」。

③ 提高部分負擔就是劫貧濟富。大家繳保費，但再高的部分負擔富人仍然就醫，但貧者必然卻步。醫學中心急診提升為700元，未來赴醫學中心急診者必然多是富有者而非一般民眾，變成低收入者補助富者就醫。

　　韓國醫學中心的部分負擔可高達50%，結果被視為不成功的健保，不但貧者不得就醫，且醫療費用上漲率為臺灣一倍以上，根本不能抑制費用上漲。同樣的，未來富

人多可接受另外五次的復健療程，而低所得者卻多只接受一、二次復健，常不能完成療程。

改革支付方式、提高費率

一直以來的實證研究都顯示，提高部分負擔未能減少醫療費用的長期成長，唯一的好處是減少健保的公共籌資，轉由個人支付。

提高部分負擔就是增加就醫的不公平性。解決健保財務困難，最公平的方法是一方面減少醫療供給者的弊端，將對醫療的支付，由做的越多、領的越多，改為依照醫療品質及醫療結果支付。

另外就是提高費率，富人因投保金額較高，將付更多的保費，而中低收入者多付的保費有限，但所有保費由全體被保險人共用，一方面改善健保財務、提高醫療品質，一方面提升健保負擔的公平性，減少民眾自付額。

61

如何照顧偏鄉民眾健康？

以一般科醫師及社區醫師擔任偏鄉民眾健康的
守護者，再免除部分負擔及補貼交通，
補償這些弱勢地區族群，是較務實的作法。

　　台灣有368個鄉、鎮、市區，其中有150個以上沒有
婦產科及小兒科專科醫師；即使有，因為常只有一位，無
法輪班隨時待命，民眾抱怨連連。也就是說，超過六、七
成的鄉鎮，夜間根本找不到上述的專科醫師。因此孕產婦
及病童就醫，就成為醫療體系的重大問題。

　　該不該每一個鄉鎮都有這二科的專科醫師？而且要24
小時看診？當然應該！

　　台灣的城鄉醫療資源差距頗大，例如光是台北都會
區，就有8家醫學中心、十數家區域醫院，提供24小時婦

產科、小兒科專科醫師的服務。

　　而偏鄉地區的民眾一樣完糧納稅，也依健保法的規定繳交健保費，難道他們是「細漢的」，為什麼不能跟都會區的民眾享有一樣的醫療服務？有沒有可能讓368個鄉鎮、24小時都有婦產科及小兒科專科醫師隨時待命？

先進國家，僅設全科醫師

　　坦白說，我們做不到，地廣人稀的澳洲、紐西蘭做不到，先進強國美國、日本、英國也做不到，就是被認為社會主義實施公醫典範的古巴也做不到，他們至多在偏遠地區能設有一名全科醫師（General practitioner）或家庭醫師（Family doctor），就額手稱慶了。

　　以英國為例，除非不是正常的分娩，否則不但由家庭醫師接生，甚至由助產士接生；一般小兒疾病，當然由一般科（GP）醫師診治，如有必要再轉診專科醫師。

　　以一般科醫師擔任偏鄉民眾健康的守護者，是各國普遍的政策，所以才會有2、30年前，日本到台灣廣徵在日據時代獲得日本醫師資格的台灣醫師，赴日本無醫鄉服務之事。台灣有59個鄉鎮人口不足一萬人，只有2、3,000人者亦不在少數；全台灣平均生育率是8.7‰，因此有59個鄉鎮每年生育不到90名嬰兒，甚至只有個位數，平均每四天至多才生產一名。且偏鄉多人口老化，育齡婦女及實際生育數更少，如何養得起一名婦產科醫師？小孩子少，又

如何能維持一名小兒科醫師？

　　現實層面做不到，但相對都會區民眾，這些病患又處於弱勢與不利的地位，那該如何？

每個鄉鎮，加強社區醫師

　　補救方法是學習大部分的國家，每個鄉鎮至少要有家庭醫學專長的社區醫師。目前家庭醫師的訓練已經有相當的水準，如果更進一步強化他們的訓練，必然足以照護大部分的婦產科及小兒科疾病，或正常的懷孕，少數需要專科醫師診治的複雜病患，再由家庭醫師轉診。

　　為補償對這些弱勢地區族群的照顧不足，轉診病患除應免除部分負擔外，應建立機制，免除各種掛號等行政程序，優先安排至區域級以上醫院直接就診或住院，並提供交通費用補助。另一方面，在偏鄉地區應廣泛設置遠距醫療，建立家庭醫師與專科醫師相互諮詢的體系。

　　目前台灣已沒有「無醫鄉」，且平均每600人就有一名醫師，但有四至五成醫師在醫院服務，而非自行開業，願意到偏鄉執業的醫師更少。因此衛生當局應以各鄉鎮每1,200人至少有一名家庭醫師為目標。

　　若干縣市長及地方立委，常以在縣市內設立醫學中心為施政口號，以為設立醫學中心就是政績，可解決民眾就醫問題，但基層衛生所缺人缺預算，又未能提供條件以鼓勵家庭醫師在地方開業，捨本逐末，並不可取。

62

健保、醫界，兩不虧欠

未來台灣醫療需要的是，健保與醫界攜手，
共同努力提升國人的合理就醫，
及自我照顧能力。
並持續改革支付制度，減少浪費及提升品質。

即使在天國，也沒有完美的制度，否則《西遊記》中的玉皇大帝就不會有那麼多煩惱。

不少醫界朋友抱怨健保，認為目前醫療體系的問題全出在健保；當然，也有不同的說法。長庚神經外科主任魏國珍醫師，專長腦瘤手術，以耐心、誠懇與病人及家屬充分溝通，醫人無數，但腦瘤手術風險甚高，在他手中也不免有若干病患「回天乏術」，但從未有醫療糾紛。他特別認為幸好有健保負擔費用，讓他可以脫離醫病之間的對價關係，專注在醫療上。心臟外科大老洪啟仁也曾有這樣的

講法。

健保沒有虧待醫界

　　健保在費用上是否虧待醫界？至少對開業醫師沒有。以2017年為例，西醫基層健保合約醫師15,603名，若把自行開業的牙醫師及中醫師也算入，則基層開業合約醫師共有約3萬多名，給付總額是1,285.7億，亦即平均支付每名醫師每月約35萬多元。即使依照稅捐處規定，扣除毛收入的20%為執業成本，再加上掛號費，一個月平均收入也可達30萬以上。當然，豐年有人餓死，荒年也有人撐死，但從以上的平均數，至少可以看出健保基層醫師收入的輪廓。

　　再用國際比較，歐、美、日、加等國，醫師收入均為其他醫事人員如護理、藥師的2-3倍，台灣則達5-6倍。相對於一般受薪階級，台灣醫師倍數更高（60％ 30歲以下受薪階級的月收入3萬元以下）。

　　在普羅大眾薪資倒退的情況下，靠著大家繳保費，健保給付總額仍年年增加，且都高於經濟成長率，讓醫師行醫無費用之憂，因此健保對基層醫師應沒有什麼虧欠。醫師公會應該是專業團體而非僅是利益團體，若是能對醫界少數違規、違法的惡醫，主動出擊，在專業自律及醫療品質上自我提升，相信更能化解「醫師愛錢」的社會觀感，與「仇醫」的氛圍。

且觀察各大醫院的財報，可發現多有結餘，少則幾億、多則幾十億，台大、榮總累績的結餘更高達百億以上，因此發生血汗醫師（醫事人員）的問題，八成要歸咎醫院。不少醫院高層念茲在茲於軍備競賽及擴充版圖，不願將結餘用於多聘人員及提高薪資。

數一數二的健保，醫界貢獻大

　　而醫院的問題則八成出在衛生福利部，紅蘿蔔給了（總額增加比經濟成長率高，更比薪資成長率高），但就是沒 guts 使出棍棒，在評鑑上要求醫院，這難免讓人對衛生福利部的高層產生很多的臆想。

　　總而言之，健保並沒有對不起醫界。那麼，醫界是否對不起健保？當然不是！台灣健保雖然千瘡百孔，卻仍是世界數一數二，其中怎會沒有醫界的貢獻？特別是台灣醫師工作時間超長，壓力甚大，是血汗醫療。但也請稍息怒，台鐵司機、飛機駕駛，台灣哪個行業不血汗？大學教授要教學、研究、行政、產學合作，還要去拉拉學生入學，不然聘書不保。

　　未來台灣醫療需要的是，健保與醫界攜手，共同努力提升國人的合理就醫，遵照醫囑及自我照顧能力。另一方面，持續改革支付制度，合理分擔健保署與醫界在財務控制與醫療品質上的責任，以減少浪費及提升品質，持續維持醫界與健保兩不虧欠。

63

讓國際醫療成為良藥

> 辦理國際醫療有諸多優點，
> 重要的是，一定只能在特區進行，
> 並應立即取消現行的國際醫療方式。

　　是否積極推動國際醫療，以及在自由經濟示範區開放國際醫療，有許多爭議及討論。但是台灣在醫療資金、醫學科技、照護品質等層面，在國際上均占有優勢，也是國人很大的驕傲，是台灣少數具國際競爭力的項目之一。任何興革必然有利也有弊，若因為過份的防小弊、除小害，反而將大利也一併除去，實在可惜，因此必須冷靜客觀的嚴謹分析利弊得失。

台灣具備發展國際醫療的條件

　　論及國際醫療，首先要探討的是台灣是否具備發展的能力。首要是資金，這根本不是問題，目前民間爛頭寸淹腳目，而是苦於沒有能獲利的良好投資標的。在人才方面，以護理人員為例，領照的有23萬多人，但實際執業的只有13萬多人。每年新增的有1萬多人。醫師方面，目前執業的已有5萬人，每年增加1,300人以上。

　　另外不論牙、藥、中醫、放射師、醫檢師、復健師、職能治療師，其每年增加率均大於人口成長率甚多，已持續10年以上。這些專業人員另一方面也因供過於求，已有就業困難的情形，而導致薪資一直未能提升，這些用功苦讀，經過國家嚴格考照的人才，若未能發揮其專業，未來必將遠赴鄰近國家，特別是中國大陸的磁吸，反而弱化台灣。

　　在亞洲地區，台灣的醫療水準數一數二，而醫療價格不但比歐、美、日為低，比較新加坡、香港、韓國都具競爭力，有利基卻放棄機會，讓韓、泰、新加坡不斷大發國際醫療財，實屬不智。

發展國際醫療的優點

　　醫療是專業人力密集的產業，IC、晶圓投資以千億計，卻用不了多少人，而醫療每一床平均需僱用3人以

上，醫院的支出半數以上是薪資，對專技人員就業，減少失業率及提高薪資大有助益。

哪些人、患哪些病，會出國尋求更佳的醫療？首先當然是有錢的病人，更重要的是看什麼病？絕大多數不是基層醫療，傷風、感冒、拉肚子，大概沒有人要出國就醫，也不會是傳染病（根本不准入台），必然多數是外科系、相關的重症及美容健檢，例如人工關節、心導管支架、癌症、白內障摘除水晶體置換等，可以排程的醫療（elective surgery），另外則為美容及健檢，因此對民眾多數人普遍發生的疾病，並不會產生重大的排擠。

如何開展國際醫療？

首先要設立專區，可配合自由經濟示範區的設立，將此類醫院視為一般公司，可公開發行股票，以營利為目的，完全以外籍人士為對象。剛開始業務不多，對台灣醫師人力衝擊有限；一但發展，可擴增醫學系，國人高度偏好念醫學系（目前嚴格限制入學人數），不怕缺乏優秀年輕人報考，其他醫事人員則無不足的問題。

目前衛福部准許醫院執行10%的國際醫療，應立即取消，特別是公立醫院及財團法人醫院。因為這些醫院是公共的醫院，應以照顧國人為主（急診基於人道考量為例外），否則必然會產生對病患「大小眼」的問題。

國際醫療限制於專區的國際醫院進行，而國內傑出的

名醫，則比照目前健保，每週可報備二、三個時段前往國際醫院行醫。如此國際醫療可有良好規範，也可引進外籍醫師，減少對國人就醫排擠。世界是平的，國際醫療今天不做，不出數年機會盡失，市場很快為鄰近國家佔據；而大陸醫療市場快速興起，台灣優秀人才很快將被吸走，屆時只得徒呼負負。

國際醫療增加重大災難的備援照護資源

國際醫療增加的人力設備，在國家有重大災難時，可在動員下停止招治國外人士，以國人優先，有利國家對災難救援的能力。

國際醫療是否辦理及其如何辦理、該設置何處是不同層次的問題，應該分別論述。台灣具有發展國際醫療的條件無庸置疑，服務業也是台灣目前及未來經濟發展的方向。醫療是人照顧人的行業，對增進就業及提升薪資水準具有正面的效益，此為台灣目前及未來所急迫需要者。國際上的經驗也顯示國際醫療不必然影響或傷害全民健康照護，甚至可相輔相成，重點是在如何執行。

我主張國際醫療只能在特區進行，而強烈反對目前正在實施的國際醫療，也就是所謂「前店後廠」。不區分國人與國際醫療，不但造成大小眼，也必然進一步影響醫病關係。特別是公立醫院及財團法人醫院這些公共的醫院，他們利用國家及社會大眾的資源，享受各種租稅的減免，

大賺鈔票卻不用繳稅，在專區設立後應予排除在執行國際醫療之外，且不應容許外國醫師來台從事國際醫療，高尖人才不足，則要加強培養，包括送至國外進修才是正途。

設置專區則是商業行為，目前法令根本不容許公立醫院及財團法人醫院盈餘搬到特區設立商業化醫院，這是嚴重犯法的行為。設立特區才能嚴格區分「非營利事業的核心價值」與商業行為，而非目前容許各個醫院渾水摸魚通吃健保及國際醫療。

停止國際醫療並不能阻止醫療人才流失，而台灣培育過剩的各類醫事人力，我們也應有責任擴大他們在台灣執業的空間。國際醫療不可能是解決醫療體系目前若干困境的良藥，但也絕不是毒藥，醫療體系需與時俱進不斷改革，是否發展國際醫療值得國人深思，但請以鄰近國家發展國際醫療為例吧！機會稍縱即逝，應盡速行動。

64

監督健保，
病友們站出來！

全民健保是以社會保險為基礎的社會福利，
保險人、被保險人、受益人、擔保人等，
都有參與發表意見的權利。
真心關切醫療品質與內涵的病友，更不可缺。

「全民健保」顧名思義，就是大家的健保，全民當主人，共同參加，一起監督。為落實此理念，健保特別強調各界參與，及利用健康照護的科技評估（Health Technology Assessment, HTA）），以評估原有及新的治療、藥物與材料，是否值得納入健保給付，再由各界代表組成的健保會做最後的裁奪。

然而有報導指出，健保會代表出席率過低，平均出席率不到1/3，更有代表兩年內一次都沒出席！想起過去致力於將擴大公共參與的精神納入二代健保所做的各種努力，

可謂格外痛心。會到這步田地，原因在於決策討論嚴重向一方傾斜，久之各方自然覺得參加與否可有可無。

健保財務問題被過分放大

二代健保的重要改革目的之一，無非是希望透過各方參與以呈現多元價值觀點，真正落實「全民健保、全民參與」的精神。但現在的健保決策圈中，唯一的價值觀點卻只剩「錢」！財務的問題顯然被過份地放大！醫院為了經營利潤不得不囂張跋扈；付費者只擔心健保費要調高；政府光是協調總額就焦頭爛額。但其實健保還需要對醫療科技、醫療品質、醫病關係、道德倫理有更多的討論。

我曾受邀參與一個病友團體的培力課程，讓我十分訝異的是，許多病友團體對疾病治療的瞭解，甚至比許多醫生都還細膩。新治療方法或藥物對病人生活品質有沒有幫助？副作用有多大？會不會造成家裡照顧者的負擔？有些治療方法的選擇在治療效果上差異不大，但在日常生活中常造成不便，甚至衝擊病患自信與尊嚴。這些在當今的健保決策討論中，可謂乏善可陳。

「殘缺」了最重要的一部份

其實早在二代健保修法之際，就曾參考英國、加拿大、澳洲等各先進國家的方式，評估讓病友團體參與討論

的可行性，可惜最後未能取得共識。納入病友團體意見之所以有爭議，一般認為病友團體專業水平仍不足，或可能過於偏頗某種疾病族群。但其實在國外有各種方式解決這問題，如聘請專家做為代表、病友團體組成聯盟、病友意見納入科技評估報告等，都可解決問題。

　　全民健保是以社會保險為基礎的社會福利，既然是以保險為基礎，保險人、被保險人、受益人、擔保人等，理應都有參與發表意見的權利。但現行體制下，真心關切醫療品質與內涵的病友卻被排除在外，健保可謂「殘缺」了最重要的一部份。

　　在此呼籲所有的病友團體應該站出來，團結發聲！不要再看著本該屬於自己的權益，在短視的健保決策中被犧牲。

65

醫師理當納入「勞基法」

高度疲憊的醫師，必然脾氣暴躁、
影響醫病關係，且易失誤不斷。
享有正常勞動條件，
是為醫師的健康，也是為患者的安全。

醫師是以專業服務照護病患，雖然專業程度不同，但本質上與護理師、藥師等，提供病患專業照護沒有什麼不同，當然應該納入「勞基法」。

早些年，若干前輩醫師認為醫師是高度專業，應受特別尊崇，怎麼可以與「勞工」一般待遇，而適用「勞基法」。殊不知「勞工」並非僅指體力勞動者，凡是以自身技能換取薪資，例如高科技工程師、律師事務所的律師、建築事務所的建築師、銀行企業界的專業經理，除了軍公教另有規定，都屬於勞工，醫師當然不例外。

另外還有一說，醫師救人，人命關天，不應受「勞基法」規範工作時數。因此有若干大老，認為住院醫師值了一晚的大夜班，白天再值一天班，經年累月擔任血汗醫師是應該的，也是訓練的一部分，再者他們也是這樣熬過來的，新人就該如此。而且萬一有重大事故，醫師基於救人天職，本當不計工作時間，以服務病患為優先。

醫師疲憊，病患也遭殃

但就如同服兵役時，有所謂「地獄週」，一連數天，天天半夜緊急集合，操到不行，但這只是讓軍人體驗在戰爭緊急時的狀況，並不是天天如此，否則軍隊也一定垮掉。雖然住院醫師也要有類同地獄週的磨練及經驗，但絕不應該列為常態，犧牲住院醫師的健康。

另一方面，處於高度疲憊狀態的醫師，必然脾氣暴躁、影響醫病關係，且易失誤不斷，也降低對病患照顧的品質。就如同飛機駕駛、鐵路司機，正因為人命關天，更要對工作時數有嚴格的規定，不只是為他們的健康，更為乘客安全提供保障。

因此醫師，特別是住院醫師，當然應納入「勞基法」，享有正常的勞動條件，但遇有重大災難，如921震災或八仙塵暴，本於救人天職，救治傷患，不眠不休，此為例外而非常態。

至於住院醫師不足，如何增加醫學系招生名額，或調

整醫師科別結構，需有計畫的逐年辦理。近年來健保有相當的結餘，衛生福利部未採行改革措施殊為可惜，應將部分費用用於改善醫事人員工作條件，提升偏遠地區醫療資源，這才能導正醫療體系於正途。

66

加速審核新藥、新科技

相較其他國家，
台灣引進新藥及新科技相對滯後。
其中有兩大關卡，需要盡速打通。

　　人吃五穀雜糧，不論身份地位，不論你是高官、富賈，還是名醫，都有很大的機會成為病友（指重大傷病的病友，一般傷風感冒拉肚子暫不計入），但相較其他國家，台灣引進新藥及新科技相對滯後，讓不少病友引頸渴望，卻得不到救命的新藥。

FDA或EMA核可，就該通過

　　突破性的新藥（原來無藥可治，或有藥但治療效果不

佳），國際上的原開發藥廠，平均要花10年及10億美元以上研發，最主要係由美國的食藥署（FDA）及歐盟的歐洲藥物管理局（EMA）這兩個權威機構核可。在此之前，都需經過國際認可的人體試驗，而這些試驗幾乎都在多個國家、多個醫學中心進行，台灣的醫學中心也常參與試驗。一方面才能在短時間內有足夠的病歷，另一方面，跨種族才有廣大的市場。

而台灣病友想要普遍使用這些新藥，必須經過二關。首先藥廠要向衛福部食品藥物管理署送件申請，通常要一年以上或更久。其實台灣的食藥署不論人才、經費，根本不能與FDA及EMA相比，所以新藥審查工作主要是由政府資助的財團法人藥品查驗中心（Center for Drug Evaluation, CDE）負責，通常只能書面審查，也幾乎不會在台重啟人體試驗，因此長達一年以上的審查，只是拖延病友獲得新藥、新科技的機會。除非有人種顧慮，建議已經過上述任一機構核可的藥物，至多二個月就應核可在台上市，特別是突破性的新藥，當可及早拯救不少生命及病痛。

「共擬會議」應增加專家及病友

新藥獲得了藥證，表示可以在台上市，但要納入健保給付，廣大病友才能獲益，這要由健保署下的「共同擬定會議」議定。在會議之前，會務議程及醫療科技評估

（Health Technology Assessment, HTA）的報告要在網路上公告。

　　但制度上的缺陷，卻使共擬會議成為新藥納入健保給付的最大障礙，目前平均通過天數是420天，癌症藥物是782天，甚至有長達六、七年者。因為健保總額是固定的，只要新藥納入健保給付，必然壓縮目前的健保財務，影響醫界健保的點值。

　　另一方面，共擬會議的代表，除若干專家外，主要是醫療公會、協會，如醫師公會、醫院協會代表，他們主要關切新藥納入後對財務及收入的影響，因此通常持反對的態度（人同此心，心同此理，不必苛責），因此應減少公會、協會的代表（仍有必要），但增加相關的臨床專家，且應比照先進國家納入病友代表（健保及醫療體系的存在，唯一目的就是照顧病友），病友代表在參加會議之前，可由HTA給予講習，以充能（Empowerment）。

減少「味素藥」，支付重大傷病

　　至於新藥納入時，通常年度健保總額已經議定，納入新藥必然影響醫療提供者的收入，產生抗拒實屬必然（雖然每年總額有預列新科技、新藥品金額，但常有限且不足）。有人提議保大不保小，以挹注新藥、新科技，但大小病難定義，富人重視健康，每項都是大病（若最後是小病，自費無妨），窮人因要負擔自付，常自認為都是小

病。最重要的是，民眾不是醫師，怎知自己患的是大病還是小病？

　　最好的方法是，回歸「健保法」第五十一條第四款，醫師指示用藥（不經醫師處方就可購買的藥物）不給付。有些醫師指示用藥被戲稱為「味素藥」，如胃藥及維他命等，健保署宜對民眾從事調查，大家是否願意少拿些「味素藥」，以之支付重大傷病，如癌症的新藥。新藥的引入以「健保法」及病友的需要為依歸，才是正道。

　　國際上，HTA多會邀請病友團體參加，目前台灣的CDE也開始要病友參與，是一項進步。

67

藥品差額負擔，
是捨本逐末

學名藥在成份及人體作用上，與原廠藥相同，
且要符合歐盟所訂定最高的製藥標準。
推廣學名藥，對提升我國藥業水準有相當助益。

　　有些臨床醫師發現，健保給付的學名藥（原廠開發的
新藥專利期過後，其他藥廠仿製的藥），療效似乎比原廠
藥差，甚至要多用1、2顆，才能有相同效果，其中甚至包
含心血管疾病及救命的藥物，影響病患醫療甚鉅。因此，
多年前即有人倡議的「藥品差額負擔」，亦即病患如堅持
要使用原廠藥，可允許其支付原廠藥的市場價格減去健保
應給付的藥品價格，又被舊事重提。

WHO提倡推廣學名藥

　　但是，健保藥品差額負擔，根本違反WHO多年一再倡議的推廣學名藥，不論2000、2008、2010或2013的年度報告（The World Health Report，集合各國衛生部長及專家每年度最重要政策報告），均強調各國為達成全民健康照護，應大力推廣學名藥，並提升其品質。

　　全球實施全民健保的國家，如英、德、日、加拿大，幾乎都是只提供學名藥；如病患堅持用原廠藥，只能自費，而沒有差額負擔的制度。台灣健保則是對已過專利期的原藥廠，支付與學名藥一樣的價格，由各醫院自行決定提供病患學名藥或原廠藥。堅持用原廠藥的病患，也只能全額自掏腰包到藥局購買。因此過專利期的原廠藥，不敵學名藥的競爭，有些只能退出台灣市場。

　　民眾只要支付差額就可使用原廠藥，增加了使用原廠藥的誘因，讓原開發藥廠多了一條生路，民眾也多了選擇，看起來頗有道理，實則在邏輯上及實務上，都有很大的問題，根本是捨本逐末。

　　先不談必然造成「有錢人用好藥，窮人用爛藥」健保階級化的印象，最重要的是，此舉無異於「官方認證」了學名藥的療效的確不如原廠藥，也讓醫療提供者有更多機會促銷原廠藥，進一步賺取藥價差，腐蝕健保的根基，包括醫病關係。

差額負擔，嚴重打擊本土優良藥廠

事實上，台灣多年來為提升製藥的水準，早就推行 BA/BE、cGMP，近來更要求藥品須符合PIC/S GMP（學名藥在成份及人體作用上與原廠藥相同，且要符合世界潮流，即歐盟所訂定最高的製藥標準）。

因為要求的製藥標準提高，因此藥廠需要投入鉅額資金，提升製藥的水準及進行人體實驗，而能力不足的小型藥廠，只能退出市場，這對我國藥業水準的提升有相當的助益（各主要國家的藥廠家數都相當有限，但規模大，才有能力開發新藥）。

一旦實施差額負擔，不但嚴重打擊本土優良藥廠，衛生福利部也會缺少督促食品藥物管理署（簡稱食藥署），嚴格確保藥廠落實PIC/S GMP的壓力與動機。

應建立國產學名藥信心

要解決學名藥不被信任的問題，根本之道是解決PIC/S GMP藥品是否就如食品的GMP，只有在查核當天才合格，之後不論原料及過程都放牛吃草，以至於GMP食品成了餿水油食品，PIC/S GMP也成為餿水藥品。

這不是小人之心度君子之腹，國人造假成性，國內不少醫院申請JCI（國際醫院認證），幾乎也都是只有「評鑑當天合格」。這也難怪不少臨床醫師不相信國產學名藥，

因此政府首要之務在建立醫界及民眾對國產學名藥的信心，而非實施健保藥品差額負擔。

食藥署除嚴加監督落實PIC/S GMP的執行，並應定期邀請醫師公會、醫院協會等，拜訪食藥署及參訪相關藥廠，共同監督及認識台灣提升藥品品質的努力。至於藥價是否過低，讓本土及國外藥廠對台灣市場興趣缺缺，這是另外的議題。

衛生福利部不確保及提升學名藥的品質，反而推動藥品差額負擔，不但違反世界潮流，更是捨本求末，根本是頭殼壞掉。

第三部

你我都做得到

68

利他才是利己

把「己」擴大，幫助別人，

有利於群體的生存，

也必然進一步確保了個體的生存。

　　人類到底應該利己還是利他，自古以來就有不同的主張和論戰。「人不為己、天誅地滅」，已成為中國人用來解釋利己行為最通俗的用語；戰國時期思想家楊朱反對墨子「兼愛」主張，倡導「為我」、「為己」、「貴生」學說，不損己為人，亦不損人為己，拔一毛以利天下而不為；亞當・斯密在《國富論》中也指出，私利的行為比利他的行為更能造福社會。以上的說法好像皆指向，人要自私自利才是正道。

　　然而另一方面，孟子卻倡議人溺己溺、人飢己飢，

與前述楊朱及亞當‧斯密的想法可說大異其趣。不過深入想一想，人溺己溺、人飢己飢，難道僅僅是利他的嗎？當我們看到別人的孩子掉入井裡，就如同是自己的孩子掉入井裡，馬上去救，反過來說，不就是自己的孩子掉入井裡時，旁人也會當做是自己的孩子掉入井裡，馬上去救嗎？如此說來，利他似乎也就是利己了。

「己」是什麼？

再深入來看，「己」是什麼？就是「自己或個人」嗎？從世間絕大部份的父母身上都可以看到，他們把子女看得比自己還重，不但節衣縮食以養育子女，必要的時候甚至可以犧牲生命，以確保下一代的生存。不必懷疑，這就是所謂「生命的意義在創造宇宙繼起之生命」，是所有生物內建最重要的基因，越高等的物種，將其基因由子代延續下去的意志就越強烈，否則這個物種就不存在了。

延續的方法，有時不限於自己的子女，也常及於近似基因者的子女。例如小獅子係由全體成年母獅共同扶養，大象也是如此，因此不易成為瀕臨絕種的動物；而花豹則否，小花豹因為常由母花豹獨自扶養，所以一旦母花豹受傷或找不到食物，就容易斷絕後代。

而人類是萬物之靈，也是最會相互照護的物種，所以「己」的定義，可以無限擴張：父母的「己」常包括子女；一個稱職族長的「己」是所有的族民；一位好老師，

他的「己」是所有的學生；好的市長的「己」當然是市民；優秀的總統或皇帝，把所有的子民都當成是「己」。在鐵達尼號即將沉沒時，傑克把蘿絲當成了「己」（確有類似的真實故事）；史可法、文天祥，則將漢族的血脈視為「己」，寧可拋頭顱、灑熱血，也要對抗異族；印度泰瑞莎修女把全人類當成「己」；佛家則把所有的生物都當成「己」，所以倡言普渡眾生。也就是說，在人群中越是有成就者，他的「己」就越大。

幫助他人會使自己健康快樂

這是因為把「己」擴大，幫助別人，有利於群體的生存，也必然進一步確保了個體的生存。因此在物競天擇下，人類大腦演化的結果是，幫助他人會使自己健康快樂。證實的研究發現，即使只是讓座或助傷殘者一臂之力，人類腦內的多巴胺（俗稱腦啡）分泌便會增加，以MRI掃描大腦，主管幸福快樂部位的活動增強，幸福愉悅的感覺馬上提升。幾乎每項研究都發現，凡是長期擔任志工或常助他人者，都比較長壽、快樂，絕少心理疾病。且面由心生，也都變得和藹可親、面容祥和、氣質優雅。

而貪瀆、搶劫、詐欺等等，表面上得到私利，但易造成社會動盪，反造成自己的困境及禍延子女。利他就是利己，大家多做好事、說好話，共同建立祥和社會吧！

69

寂寞使人憔悴

多項研究顯示，長期孤獨會觸發細胞變化，
減弱人類對抗病毒的能力，早死機會增加26%。

近日在YouTube上觀看林憶蓮2012年演唱「不必在乎
我是誰」（李宗盛詞曲）的MV，當唱到「寂寞使人憔悴，
是寂寞使人心碎」時，鏡頭轉到觀眾席上幾位中年男士，
一臉淒然，而不少女士們在拭淚。再來的歌詞是「就算有
人聽我的歌會流淚，我還是真的期待有人追……讓我先好
好愛一回」。道盡今日工商社會，在工作壓力下，包括科
學園區的工程師或病房裡的護理師，工時都長到缺乏社交
生活，寂寞者眾的現況，也因此婚友活動常是公司留住員
工的重點工作。

「孤獨大臣」力抗孤獨

　　年輕人如此，那中老年人又如何？2018年元月，英國首相梅伊任命了一個大臣，直譯為「孤獨大臣」（Minister of Loneliness）。剛發布時大家以為是開玩笑，或是《哈利·波特》小說中的新人物。英國不是設有很受肯定及各國欽佩的「衛生及社會服務部」（Department of Health and Social Services），怎麼還要設個孤獨大臣？原因是英國6,500萬人中，竟然有900萬孤獨人口，其中當然以中老年人為主。梅伊首相在任命的聲明中表示，希望面對眾多孤獨人口的挑戰，採取行動，處理老者、照顧者、失去摯愛者，那些沒有人可以與他們談天或分享想法和經驗的人，所承受的孤獨。

　　梅伊首相重視孤獨絕不是先知先覺，太多的研究顯示，孤獨與各種生理指標高度相關，包括心血管、癌症、失智、自殺等。孤獨與憂鬱症也有高度的關聯，2017年5月，WHO發布憂鬱症是當前世界最大的健康問題之一，是眾多疾病及導致失能的最主要原因，目前全球有三億人口受憂鬱之苦，是導致醫療負擔的重要因素。多項研究更顯示，感到孤獨會加生病的機會，長期孤獨會觸發細胞變化，減弱人類對抗病毒的能力，早死機會增加26%，就算健康水準相同，孤獨也會增加就醫次數及費用。

　　日本人口老化世界第一，有越來越多人「孤獨死」，他們在生前鮮少和外界聯繫，在家中身亡後要好一段時間

才被人發現。2015年就有四萬件，所以需要新的行業「遺品整理士」，待遇相當高，但工作比殯儀館處理遺體更為辛勞，因為面對的可能是在榻榻米上滿是屍水、腐爛長蛆的遺體。台灣人口老化速率世界第一，少子化、青壯年離家就業，造成單身戶近千萬。當然有些是為了節稅，雖和家人同住，但每人申報一戶住屋，但真正獨居者也絕對在六、七百萬人以上。獨居不只發生在人口外流的鄉間，在都會區也是普遍的現象，使得孤獨死在台灣也已不是新聞。

「讓自己有用」抗孤獨

如何避免孤獨及它所引起的負面影響？根據本人主持的「台灣高齡化政策暨產業發展協會」（簡稱「高發會」）全國性的調查，55-75歲退休老人最想要的是「再就業」。也就是類同「高年級實習生」，薪資少些，工作時間短些，都很樂意。另外就是擔任志工，台灣醫院裡的志工人數超過5萬，比醫師還多。各類志工50萬人以上，且以中老年人口為主流。

再就業或做志工表示「自己有用」，更重要的是有很多的社會連結，不會孤獨。就算是去除自我選擇因素（身體健康才能再就業或做志工），老人就業及擔任志工者，比不是者健康長壽得多。研究顯示，就算是照顧孫子女，也會令人健康及減少憂鬱症。我們在北、高辦理「親愛

的，我老了」展覽，聘請近百位「哥哥姊姊」擔任導覽員，雖只提供基本工資及保險，但顯見他們快樂得不得了，都成了好友，當然也不再孤獨，聚會時熱鬧情形不亞於小學生，有趣極了。

政府能力有限，且台灣因為政府貪腐及蓋太多蚊子館，大家不信任政府，不樂意交稅，稅賦只占GDP13%，為現代民主國家中最低者，政府能提供的服務有限（從長照2.0成芭樂票就可知），民間「自救」是最好的方法。弘道基金會、老五老基金會、高發會等等民間組織，提供了長者的「社會連結」，目前更組織全民造福（照服）時間銀行聯盟，各參加聯盟團體，不論是社區、教會、公司、社團（如扶輪社）等，各自徵求會員或員工，經過一致的訓練及認證，提供團體內需要照顧者各項服務（可以是失能的長照，也可以僅是陪伴，包括聊天、閱讀、陪伴上街、採購、就醫等），加以記錄，當自己需要時便可優先提領。自助助人，就類同捐血後可優先接受輸血，但不必一對一對價，先在團體內辦理，未來以跨團體為目標，期能創造沒有孤獨的祥和社會。

70

被麻煩的幸福

沒人需要的人，活著也沒什麼意義；
越有成就的人，被依賴及麻煩就越多。

　　小女從小調皮搗蛋，有些過動。我在規劃全民健保期間，任重事繁，難免心煩氣躁，對小女頗有怨言，但當時只是幼兒園大班的她，某次竟然對我說：「爸爸，我給你找很多麻煩，不就是這樣，你才覺得自己有用嗎？」一語驚醒夢中人，的確，人就是因為被依賴、被麻煩，才感受到自己的存在及價值。

　　從古至今，婚姻及養兒育女固然是人生考驗，夫妻為了柴米油鹽、子女教育，甚至擠牙膏、上館子，都能起摩擦；幼兒哭鬧、生病，更需要以無比愛心、耐心待之。然

而，擁有婚姻及子女是人生至福，只要走過，擁有這樣的歷程，便能成為成熟的個體。而很多單身者，則是能化小愛為大愛，如愛心滿滿的小學老師，終生視學生如己出，享受被依賴、被需要的感覺，從別人的麻煩中，發現自己的價值。

感覺自己有用，就幸福

沒人需要的人，就如行屍走肉、孤獨不堪，活著也沒什麼意義。越有成就的人，被依賴及麻煩就越多，當父母、老師的，被自己的孩子、班上的學生麻煩、依賴；如果是縣市長、部會首長、行政院長，甚至總統，「被麻煩」的等級更是一路高升。若是如孫運璿、李國鼎、趙耀東等大人物，能解除萬民之苦，對當事人也是莫大的幸福及福報；但若不稱職，沒辦法承擔萬民對他的依賴，必然要被修理到體無完膚，全民照三餐罵。

其實只要被依賴，能造福社會，不論大小，都能幸福。我每天早上都會遇到社區的清潔人員，每次都相互快樂的打招呼，看他們勤奮工作，滿臉的滿足；社區管理員也十分熱心，拜託的事，只要是合情合理，使命必達，只要跟他說聲謝謝，便可以看到他滿臉歡愉，大概是因為社區住戶都需要他們，而覺得自己有用吧！

還有一種人，一生勞碌，賺了金山銀山，但都是為了別人賺，因為他們一輩子也花不完。如郭台銘、張忠謀，

或已去世的王永慶，努力一輩子，除了給子孫，就是讓成千上萬的人有工作，可以養家活口。對這些富豪來說，再怎麼吃喝、花用、買豪宅、私人飛機、遊艇，也不過是九牛一毛。諾大的家產，如果只留給子孫，感激的人有限，有的子女甚至對憑空得到十億、百億猶不滿足，兄弟手足還打起爭產官司。

成功是看幫助過多少人

因此，最好的方法是讓更多人「依賴」，將用不完也用不了的錢捐出去，如比爾・蓋茲除了留些錢作餘生之用，其他的1,400億美金（1.5兆台幣）全捐了。他的好友股神巴菲特，發起簽署「贈與誓言」（Giving Pledge），至今至少有170名富人加入，捐出的錢主要用於消滅傳染病及營養不良、普及教育。

另一項趨勢是社會企業興起，一方面賺錢，讓員工有合理的薪資，另一方面也將賺的錢回饋社會。這方面的實例不勝枚舉，我就是因為獲得洛克菲勒基金會的支助，得以到美留學，才有能力及機會參與全民健保的規劃及執行，所以這個基金會也間接幫助了台灣。

至於那些靠勞工流血流汗，每天看著帳戶內數字不斷成長，股價不斷提升，再捐點表面不是政治獻金的捐款，影響政治，再賺更多錢的老闆們，不如想想某法師的一句話：「人走了，還剩很多錢，是種罪過。」何不讓更多人

依賴呢？成功不是打敗多少對手，而是幫助多少人，若自己是個有能力的人，就讓更多人麻煩你吧！

71

增產食糧，解除飢餓？錯！

全球生產的糧食，

絕對足夠供給全球人類所需。

所謂「糧食不足」，

完全是分配不均及嚴重浪費所導致。

依據聯合國世界糧食計劃署（World Food Program, WFP）的資料顯示，全球有8.5億人處於嚴重飢餓狀態，一億孩童體重嚴重不足。飢餓所導致的死亡，比世界三大疾病殺手愛滋病、肺結核及瘧疾所導致的死亡相加還多。這就如濟公活佛出題考一群郎中，問「饅頭」可治什麼病，因《本草綱目》無此一味，無人應答，濟公則笑答，治天下第一大病 —— 餓病。

飢餓不僅發生在開發中國家，尤其是沙哈拉沙漠以南的非洲，連世界第一強國美國，也有4,700萬人依靠食

物券維持生活。既然飢餓情況如此嚴重，那麼人類豈不應該更努力增產糧食，開墾更多農地，改造基因以培養更耐旱、耐貧瘠、耐蟲害、高產量的品種；研發更有效的除草劑、殺蟲劑；培育成長更快、肉質更好的雞、豬、牛、羊等等？

「糧食不足」，其實是分配不均

　　錯！大錯特錯！因為全球一點都不缺糧。即使每年都有某些地方會發生水災、旱災、蟲災，但全球生產的糧食，足夠每人每天得到2,800卡以上，老人、小孩需要較少，因此每人平均2,500卡即綽綽有餘，所以糧食生產絕對足夠供給全球人類所需。所謂「糧食不足」，完全是分配不均及嚴重浪費所導致。

　　以美國為例，根據2013年統計，四口之家平均每月丟棄20磅的食物，值美金2,275元，很多食品根本沒開封就丟棄或過期了，全美國丟棄的食物達34,600萬噸，價值1,800億。這些食物足夠讓全球處於飢餓的人們免除飢餓及營養不良。同樣的，美國人用在減肥的錢，也足夠消除全球的飢餓，若加上歐洲及某些富裕的亞洲國家或城市，人類根本沒有缺糧的問題。

　　除了浪費，另一個缺糧的原因是，富裕的民眾不再以穀物充飢為滿足，而追求更多的肉、蛋、乳。但是，七份的植物蛋白餵食牲畜，只能生產一份的動物蛋白，全球努

力生產糧食餵養動物供人類食用，其結果是更多的雨林消失、表土流失、農地沙漠化、河川海洋賀爾蒙汙染、動物被不人道的畜養、二氧化碳釋放及增加溫室效應。

少肉多菜，對大家都好

攝取過多的肉類、脂肪及醣類，是造成肥胖、三高及心血管疾病的主因。美國近3/4人口有肥胖症。台灣國民健康局2005年的調查，國人男性51%，女性1/3過重。世界衛生組織發佈肥胖為全球第一殺手，特別是在富裕國家。多肉多脂肪而少五穀雜糧及蔬果，也是造成大腸癌增加的主因，國人似乎有急起直追之勢。

一邊是餓死鬼，一邊是撐死鬼，問題是在糧食配置制度及人們的飲食方式，增產更多糧食不但無濟於事，害處反而不少。

就個人而言，少去吃到飽餐廳，少吃點肉，多一餐五穀雜糧及青菜，享受天然食材的純真美味，而非人工的化學食品，對自己的健康及全球的饑荒，都有無上的助益。

72

狗、毛小孩、汪星人

狗的地位快速飆升，
反映的是人對情感的缺乏與渴望。

　　「狗」的生物本質，不過就是一種掠食性動物。但牠們和人類共同生活之後，地位一路扶搖直上。一開始是協助人類狩獵、搜索、警戒、看守、救援，付出忠心與勞力的「工作犬」；後來逐漸升格為「寵物」，尤其是不婚、少子化後，膝下無子的男男女女，把寵物當孩子養，牠們就成了家裡賣萌哄主人開心的「毛小孩」；等到毛小孩跟主人久了，占領了主人的心，人就心甘情願對他們呵護備至、付出一切。至此，人狗地位反轉，主人成了奴才，「毛小孩」就正式晉升成了「汪星人」（網路語言，把狗假

想成來自外太空來的人類）。

人已快不如狗

「汪星人入侵地球」十分嚴重，在歐洲，寵物（當然以毛小孩為主）每年的養育費用可供全球10億營養不良、飢餓的人群溫飽。日本毛小孩的數目，大於15歲以下的人口數。

汪星人增加，也影響了產業消長。10年前，我曾指導研究生探討少子化對產業的影響，以大台北區電話簿的黃頁，比較1995年與2005年嬰幼兒用品店、玩具店、寵物店、獸醫診所家數的變化。結果非常明顯，彼消我長。

不過十餘年前，只要走進傳統市場，一定有一、二家嬰兒衣服及玩具店；現在這兩種店幾乎全面退出傳統市場，而寵物店、獸醫診所則是一家家的開，門面越來越大、設備越來越豪華舒適。以獸醫診所而言，其乾淨、明亮，絕不亞於一般診所。大賣場的寵物用品及食品區，常大於嬰兒用品區，且寵物店的用品，不論是狗鍊或狗的「嬰兒車」，皆價格非凡，甚至比嬰幼兒用品還要高一籌。

狼與狗基因99%以上相同，為什麼我們會愛上從前令人畏懼的「狼兄弟」呢？因為狗是所有動物中，最能精準判讀主人情緒的物種。凡是養過狗的朋友都有經驗，毛小孩非常清楚如何與家中成員互動。誰會幫牠洗澡、誰喜歡抱牠、誰不太理人，或可上誰的床互擁共眠……也因此，

最能療癒人的情緒。所以療養院、精神院或孤兒院，對自閉、憂鬱、孤寂、與人互動困難的朋友，常用受過訓（應稱為「狗狗醫學院」）的毛小孩作為治療犬，地位高升至「醫療者」。

醫師有醫師公會，狗醫師當也有狗醫師公會（因狗醫師多為義診，因此公會面臨財務困難，急需各界伸出援手）。狗居然如此快速進化，網路上把狗狗假想成是外太空的外星人，特地來地球賣萌而成為「汪星人」，也就不足為奇了。

為什麼人類需要狗？

至於近代社會為何讓汪星人如此侵門踏戶？簡單的說是因為，人是高度社會化的動物，需要愛及被愛；更「賤」一點的說，只有被需要、被依賴，才能感覺到自己的存在及重要。養魚、養貓的效果不如養狗，正是因為狗比其他寵物依賴主人，所以主人也更依賴毛小孩的情感。

養狗真的很麻煩，就像養一個真正的小孩一般，每天都要照顧。因此狗旅館、狗餐廳、狗游泳池一間間的開，在日本甚至還有狗狗的專屬溫泉及蛋糕店。不只一位朋友因為和愛犬感情太深，在毛小孩離世的時候痛不欲生，坊間的毛小孩葬儀社及墓園，也就應運而生（北台灣就超過5處）。九把刀製作的《十二夜》，敘述流浪狗在收容所經過12天沒人認養，就必須安樂死的故事。屆臨第12夜，

鏡頭只是呈現幾隻狗狗相互的眼神，及一隻母狗對小狗的撫舔，就令全場觀眾淚流滿面。

新生兒要批八字，毛小孩自當比照辦理，街頭出現「寵物命相館」，也就不足為奇了。人生病要就醫，汪星人也是如此，有些獸醫院提供洗牙、人工關節置換、洗腎等醫療項目，水準直追醫學中心。只是汪星人的全民健保，大概近期內很難實現。

狗的地位不斷提升，這就是為什麼近來虐狗就是犯法，吃狗肉成為萬惡不赦的原因。也有吃狗肉的朋友不服氣的說，豬也不比狗笨，只是長相比較不可愛，所以人可吃豬，卻不准吃狗，實在沒道理。只是現代社會已把「狗」視為「人」了，人當然不能吃人，所以不准殺狗，也就沒法子了。

台灣及日本越來越不養小孩，只好養狗。養狗不養人的唯一好處是，小孩不能隨意丟棄，狗似乎可以，所以台灣到處有流浪犬，各縣市的所謂「可愛動物之家」，也充滿了飼主丟棄的犬隻。為了避免「汪星人」反撲，避免哪一天棄狗與棄小孩同罪，還是要鼓勵大家多結婚、多生小孩、多交朋友，感情交融、相互依賴，而不僅受汪星人牽制。如果社會再不投入更多資源以支持家庭，人們不再用更多的心力培養親情及友情，那麼外星人是否侵入地球不得而知，但汪星人更大舉侵佔人們的心靈，已是必然。

73

遊民與毛小孩

科技進步，人際關係愈發疏離及異化，
人類和動物間的真誠情感，
更能形成撫慰人心、凝聚社會的正面力量。

　　在歐洲，常常看到街頭遊民身邊伴著一隻大狗，人狗相依為命。狗不但可以守護流浪漢的安全，在黑夜乃至寒冬彼此陪伴，給予對方溫暖，更是流浪漢情感的慰藉。所以在歐洲街頭，常常可以見到流浪漢乞討的不是自身的溫飽，而是狗兒的溫飽。

　　曾有一支影片在網路上廣為流傳，內容是法國愛護動物組織在街上撿拾流浪貓狗，三名職員不顧流浪漢苦苦哀求，強行將他的愛犬搶走，還將流浪漢摔在地上。愛護動物組織雖然解釋，是流浪漢未能照顧好小狗，把小狗當作

行乞工具，他們為了小狗好才將牠帶走，但是此舉已飽受外界批評，更有網民發起線上連署，要求該組織把小狗還給流浪漢。

毛小孩就是家人

也許你會疑惑，人都養不活了，還養狗。但是只要是人，都需要愛與被愛，毛小孩與人之間相依相存的小說、電影，不知凡幾，賺了不知多少熱淚，造成多少孩童吵著要養毛小孩。遊民是社會疏離的邊緣人，可能是被家人或社會遺棄，甚至背叛，或者反過來，過去遺棄或背叛了家人，導致今天成為孤獨的靈魂。毛小孩不嫌貧愛富，不計美醜，只要真心相待，就不離不棄。遊民們對愛與被愛的渴求，會比一般人更加急迫。正因為人和毛小孩的情感如此真切，這樣的情感，正可以做為維繫遊民與社會的重要連結。

舉例來說，通常遊民很排斥進收容所，即使外面天寒地凍。2009年冬天，比利時列支市政府特地開放足球俱樂部，收容遊民度過寒冬，其中包括開放八個床位，讓遊民可以帶狗進駐，結果這個計畫非常成功，遊民為了不讓狗受凍，願意進駐收容所，整個冬天這八個床位都供不應求。

德國有個叫「五十五十」（Fiftyfifty）的慈善團體，2006年時在杜塞爾道夫提出一個underdog的計畫。這個計

畫定期派出診療小巴在市區巡邏，由獸醫師擔任志工，為街頭遊民飼養的狗提供治療與疾病防治協助。車上另有隨行的街頭志工（street worker），趁機提供遊民安置與請領各項社會救助的相關訊息。

遊民常過著露宿街頭、離群索居的生活，他們唯一剩下可信任、相依為命的「家人」，便是陪伴在他們身邊的毛小孩。該計畫不僅僅是提供遊民所需的寵物醫療服務，也達到協助遊民與社會連結的目的。

動物醫師，比人還有效

基於人和動物的真誠情感，在歐洲，對於若干身心障礙病患，因難於敞開心胸與「工於心計」的常人互動，普遍利用與動物互動，作為心理治療的方法。像台灣很熱門的「與馬對話」（Equine Assisted Learning），就是源自「馬協助治療法」（Equine Assisted Therapy），透過醫師及專業治療人員設計與馬互動的過程，來達到心理治療的目的，發展迄今已有5、60年的歷史。後來衍生成為領導學習的相關課程，由專業訓練機構規劃執行。

在烏克蘭的首都基輔，軍醫院也推動一個「英雄的陪伴」計畫，醫院養小狗來為軍人做心理諮商。軍人藉由在醫院撫摸狗、和狗玩，可紓解創傷後壓力症候群，讓這些毛小孩帶給軍人們足夠的溫暖及正面能量。

遊民、社會疏離，是工業化後普遍的現象，隨著科

技進步，人際關係愈發疏離及異化。人類和動物間的真誠情感，反而更能呈現人性本質，形成撫慰人心、凝聚社會的正面力量。台北市柯市長遇到市民陳情流浪狗問題，提到他想到萬華遊民，引來以「流浪狗比擬街民」的失言爭議。柯市長自清是在說管理方式，其實無論是流浪狗還是街民，從來都不屬於管理問題，而是我們對於流浪狗及街民，有什麼樣的情感和責任。

（本文與許增如共同執筆）

74

要健康，更要「做」健康

要獲得健康，很多事錢買不到。

「做」健康不一定花錢，甚至可以省錢，

這是每個人的責任。

老友葉金川為文，響應另一老友江東亮教授，倡言健保要購買健康，而非僅是購買醫療，道理非常明顯，因為有些病醫了之後大部份病人會好，如盲腸炎；有的醫了大部份也不會好，如賈伯斯的胰臟癌；有些不醫也會好，如一般感冒；有些病醫了不會好，但可維持身體功能不致（快速）惡化，如糖尿病、高血壓。

可喜的事是由於醫學的進步，治了會好的及治了可維持身體功能的範圍不斷擴大，但也對健保財源籌措產生了很大的壓力。買健康而不只是買醫療，就是不要將有限的

健保資源用在不醫也會好及醫了也不會好的疾病。然而生命誠可貴,對於醫了也不會好的末期病人,我們應該提供積極的照顧,就是安寧照護代替無效的積極治療。

少肉多蔬,有助吃出健康

多個團隊的醫學專家分別用德菲法探討決定及影響健康的因素,他們共同的結論是生活型態(生活行為)至少占40%、環境25-30%、遺傳20-25%、醫療最少,只有10-15%。而人們所處的環境一部份是大自然,一部份卻是人創造的,因此健康至少一半是由人的行為決定的,所以我們不只要用健保買健康,更要「做」健康。

「做」健康不但不用花健保的錢,且常使自己活得更快樂、幸福。首先就是如樂活所倡導的「少肉多蔬、少鹽多醋、少做多走」等。

要吃出健康,因為太多的疾病是與飲食有關,幸運的是目前越來越多人注重養生,大魚大肉不再盛行,含糖多的碳酸飲料可樂汽水銷量顯著下降,少糖去糖成為購買飲料最常聽到的國人用語。減少紅肉、糖類、油炸食品的攝取,多蔬果對控制體重,進而減少心血管疾病及某些癌症,如大腸癌有相當的助益。

另一項「做」健康,就是拒菸,在董氏基金會、衛生單位及民間團體、企業、廠商共同配合下,吸菸人口的成長總算抑制及有所下降,特別是成年男子拒菸活動,對

二手菸害的防治也有很大的助益。菸與檳榔是難兄難弟，拒菸也多少對減少檳榔有些幫助，是防止口腔癌最好的方法。

少坐多走，運動帶來快樂

要「活」就要「動」，「做」健康另一要項是少坐多走，多運動。人類直到最近百年，才有穩定的食物來源，及各種器械協助體力勞動。百年之前，人類幾乎每天不是狩獵，就是農耕或操勞家務才得以生存。

勞動是生存的基本要素，幾十、幾百萬年來，人類因勞動才有食物，所以活動自然連結食物，食物帶來快樂，即使運動並非從事生產活動，但上天的獎賞是運動促進腦啡（endorphin）的分泌，這也就是在運動時汗流浹背、氣喘如牛，但運動後卻有愉悅感的緣故，運動養成習慣，二天不動就渾身不對勁，就是渴望腦啡的結果。

運動不只健康，且帶來快樂。近日報導國人經常運動人口從30%升到60%，如果屬實，國人健康必是進了一大步。

幫助他人，較別人更長壽

「做」健康的另一要項是幫助別人。我們都有幫助別人的經驗，即使讓個座位或對貧困者捐助，都有一種莫名

愉悅的感覺，更不用說救人一命。這絕不是因老師教我們要日行一善，或因蔣公說「助人為快樂之本」，這是依循達爾文的進化論「適者生存，自然淘汰」而來。

人類是最會相互幫助的物種（當然也最會殺戮），因為能相互扶持，所以能抵禦其他物種或部落的侵襲及天然災害，凡是不能相互幫助扶持的部族必然「自然淘汰」，多項研究發現幫助別人、擔任志工，腦啡的分泌甚於運動多倍。雖然好人有短命的，壞人也有長命的，但不用懷疑，成千上百的研究均顯示，常從事志願工作協助他人的人，相對於其他人比較長壽，乃是因為幫助別人，可以促進生理、心理及社會的健康。

健保實施後，國人平均餘命加速延長，原因之一可能是因就醫方便，更能及渴望接觸預防保健的資訊，大家「做」健康的緣故。在健保下，就醫是您的權益，但要獲得健康，很多事錢買不到，「做」健康不一定花錢，甚至可以省錢，這是每個人的責任。

75

活得長，更要活得精采

只是近黃昏，夕陽無限好。
銀髮族的自我挑戰，就是要維持自我照顧能力，
甚至照顧家人，貢獻社會。

　　成功常是嚴峻考驗的開始。在1950年代，台灣人口的平均餘命是男52歲、女57歲，因此男女怨偶不必離婚，只要忍耐一下，不是你死就是我亡。但現在50歲的人，多數可以再活30年，意見不合，只好勞燕分飛了。

　　目前全台平均餘命男77.3歲、女83.7歲，台北市則分別是80.8歲及86.3歲。再用比率來看，台灣八成的人活到70歲，六成的人活到80歲，到90歲的還有25%；台北市更遠大於這個比率。活得久，還要活得好，至少能在生活上基本自理（吃飯、穿衣、如廁、洗澡及移動）。

一般認為大多數老人沒有生活自理的能力，需要他人照顧，其實不然。台灣65-74歲老人，92.7%生活能夠自理，75-84歲80%能自理，85歲以上也有51%有基本的生活能力；台北市的老人，具有基本生活能力的比率更高。

　　就以目前檯面上的多位老人家來看，8、90歲的李登輝、連戰、宋楚瑜、蕭萬長、錢復、柴松林、張忠謀，都依然生龍活虎，還能影響政治、社會。如何像他們一樣，延長自我照顧能力，含飴弄孫、照顧家人，甚至貢獻社會，就是目前廣大老人的自我挑戰。

如何成為逆齡超人？

　　銀髮族如何自我挑戰，成為逆齡超人？觀察眾多老而彌堅的長者，不外乎就是不斷訂定新的生活目標，不斷貢獻社會及活到老學到老。人是社會的動物，貢獻社會就是為他人所依賴，顯現個人存活的價值。

　　如果能像張忠謀統領台積電，大幅貢獻台灣的GDP，讓眾多員工安身立命、養家活口，當然覺得自己有存活的價值。就是三不五時擔任志工，或者協助子女照顧孫輩，也是幸福的泉源。科學一再證明，擔任志工者遠比飽食終日、無所事事者健康快樂。

　　終身學習也是成就感的來源，七老八十才學會用平板電腦或智慧手機，可與世界脈動接軌，隨時與散居海內外各地兒孫輩相互連結，心靈不再孤單，動手動眼又動腦，

也較不易失智。就是種菜澆花，動動手腳，看花草生命的成長，也會很有成就感，感到愉悅。

趙慕鶴爺爺就是一例，75歲當背包客，英文一句也不會，暢遊英、德、法；93歲在醫院當2年志工，95歲考上研究所，98歲碩士畢業，名列金氏世界紀錄；100歲書法為大英圖書館收藏，101歲在香港辦書法展，並成暢銷書作家。朋友問他：「老趙，你都要死了，還學什麼電腦？」趙爺爺神回答：「可是我現在還活著呀！」這就是活得長，更活得精采的典範。

國家也變老了

然而台灣卻另有一項嚴峻挑戰，就是人口組成老化。老年人口增加是因為如前述，已生下來的人不再早夭，大家活得久；但人口結構嚴重老化，卻和另一個原因更相關，那就是婦女有偶率及生育率直直落，新生兒越來越少。

台灣婦女30至39歲仍有近三成未婚（男性更為嚴重），40歲再結婚已經少有生育能力。另三成以上的婦女一生未曾生育，全台平均每名婦女只生育一名小孩，也就是人口每一代就要減半，造成人口組成快速老化（分子增加、分母減少、其質變大）。

台灣目前已有9個縣市，近30個鄉、鎮、區，老年人口超過20%，再過不到10年，全台65歲人口都要超過

20%，馬上就要成為生之者寡，食之者眾的社會。需被照顧的人變多，能提供照顧的人少；需高度醫療的人多，繳健保費的人少；不論公保、勞保、軍保的退休金及國民年金均是如此。如何迎接此馬上到來的超高齡社會，因應此嚴峻的考驗，甚值社會各界深度探討。

76

自助互助，
才是長照新思維

人口快速老化，經濟前景不佳，政府能力不足，
在民間團體的努力下，幫助民眾自助互助，
不失為務實的新思維。

　　台灣人口結構快速老化，眾所皆知，除非未來發生不可預期的重大天災人禍，否則到了2025年，台灣1/5為老年人口，成為超高齡社會已不可避免。

　　即將來臨的超高齡社會，勢必帶來各種挑戰，例如使用健保的人快速增加，而能繳健保費的人大幅減少；需要醫療照護的人增加，而能提供照護的人減少。不管如何開源節流，今日4、50歲以下人口，未來老年時，絕對享受不到今日水準的健保，不是部分負擔要大幅加重，就是給付項目要大大減少。調高保險費則幾乎不可能，因為辛苦

工作繳保費的青壯年，必然群起強烈反對。

另外公車老人免費，高鐵半價的政策，必然要做重大改變，不然一般票價必然要高到天價，以貼補免費或半價。然而某些候選人，為了選票，還是昧著良心，不斷提出各種老人全面優惠措施，而非只補助中低收入長者，真是混蛋一族。

目前的長照2.0照護對象有三類，一是當事人喪失一種或以上的基本生活機能（飲食、沐浴、如廁、穿衣及移動），需要他人協助才能生活者。第二是獨居，卻缺乏工具性的機能者，如：自己備餐、洗衣、清理房屋、出門採購等等。這些人雖具有基本生活機能，也需要他人協助。更需要照顧的是第三種類型，也就是認知功能障礙者（俗稱失智）。

長照保險制改福利制，隨人顧性命

根據衛福部估計，以上三類需要長照者，目前約有90餘萬人，而政府的長照2.0，只能「有限度」的照顧，原因是蔡政府將原計劃的長照「保險制」，改為以公務預算支應的「福利制」，但台灣又老又窮，稅收只占GDP的13%，財源至為有限，只能提供十幾萬人協助。

其餘家中經濟尚可者，用了近25萬外籍看護工。但近年來，外籍看護工來源國家經濟成長相對優良，不但「大陸妹」不再，泰勞、菲勞大幅減少，改以印尼勞為大宗，

費用也節節上升。

　　剩下的30-40萬人，主要依賴家人照顧，因此估計每年有十幾萬人提早退休，以照顧失能家人。除了減損勞動人口外，因為過度負擔照顧責任，照顧者將被照顧者殺害的人倫案件不斷發生，為國人的悲哀。

　　預防勝於治療，這是大家都明白的道理，在長照來說，更應是如此。今日的長照不但因為蔡政府把原先的保險制改為福利制，導致缺錢、缺人；加上不論制度、支付辦法及標準，都三天一小改、五天一大改，基層怨聲載道；更嚴重的是只針對已失能者，甚少關注如何讓長者不要失能，活得老又活得好。

政府小又窮，一定要靠自己

　　根據WHO及各項研究顯示，要活得好，就要活躍老化，方法第一是讓長者能參與社會、第二是繼續工作、第三是終生學習。

　　孤寂、缺乏參與社會互動，是老人身體機能及智力衰退最重要的因素之一。台灣的研究顯示，20-30%獨居老人，嚴重缺少與他人互動。哈佛大學經過70年的追蹤研究，良好社會互動比飲食、運動更影響人的健康，因此英國在2018年初設置了新的大臣─孤獨大臣，以解除英國7、800萬缺少社會互動高齡者的孤寂。

　　第二是繼續工作。台灣高齡化政策暨產業發展協會

（高發會）全國的調查研究，75歲以下退休者最希望的事，是能再有工作，薪資可以少，但時間要有彈性。因為工作代表自己有用（尊嚴），有朋友及社會連結，也是增進社會參與。

第三是終生繼續學習，獲得新知識。

以上三者，政府的投入都甚少，幸好眾多民間公益團體，如高發會、老五老基金會、弘道老人基金會等數十個NGO，都不斷努力。近來各公益團體積極倡導時間銀行，號召目前尚有能力者，接受一定的培訓及考核，甚至考取照服員證書後，提供陪伴、家事服務，甚至長照服務，待自己年老有需求時，也可獲得同等的服務，不失為可行的方案。

在人口快速老化，經濟前景不佳下，要大幅加稅，然後得以加人、加服務，困難度甚高，因此必然要有新思維，以因應面臨的困境。政府能力不足，民眾自助互助，這才是長照的新思維。

77

照護者的心理調適更重要

照顧者心中對於親情、
責任與社會期待的種種糾葛,多樣且複雜,
心理上如何面對日益衰弱退化的家人,
有待更多探討。

　　日本老友長谷川敏彥教授,曾任東大教授及主持厚生
省衛生政策研究,多年前曾倡議人生有三階段,大致以25
歲為一階段分水嶺,亦即出生至25歲左右,為成長及學
習;25至50歲為工作及養育下一代;50歲左右逐漸退出
職場,退休後平均可再活25年。而且第三階段常從急診
室、加護病房、復健、長照,再入急診室,多次循環。當
時長谷川教授即提醒,社會如何因應老病的照護,是個重
大的挑戰。

　　　　　　　　　　　　　中華民國如何不亡!?

白髮照顧白髮，悲劇頻生

然而依目前趨勢，人生三階段已未能具體反映當前社會演變了。即以台灣而言，目前台灣65歲（聯合國定義的老人）以上有300多萬人，而75歲以上有130萬人，也就是有130萬人已進入人生的第四個25年。另外，90歲以上尚有10萬8千人，百歲以上人瑞也有3,600人。更驚人的是，根據估計，目前65歲的人，在35年後的2050年，將有7萬6千人活超過百歲。

人越活越長，生活品質卻可能越來越差，家中人際關係也變得複雜、多樣化及有調適上的困難。青壯年都在外為生活打拚，只剩老人照顧老老人，5、60歲照顧7、80歲，或許不少尚有能力，7、80歲照顧90、100歲，就會非常辛苦。更不幸的是，老人易於體衰多病，也難免發生老老人父母，反而必須照顧老人兒女，甚至白髮人送黑髮人（其實都是白髮了）的情況，例如家母就送走了我的兩個兄弟。

近年來，因為缺乏長期照護及社會支持，照顧者不堪體力、心理雙重壓力，殺害或遺棄被照顧的親人後再自殺，或者一時情緒失控，虐待被照顧親人的新聞事件，層出不窮。社會大眾對這樣的加害人，多半沒有指責，而是能夠理解並給予深深的同情，但重要的是，如何能夠預防下一次的悲劇再發生？

紓解心中壓力，才有優質照護

　　健康不僅是生理的，更是心理及社會的。面對長期失能、失智的父母、家人，耗費的金錢、時間、體力是一回事，尚且可以尋求他人、外界的資源協助；然而照顧者心中對於親情、責任與社會期待的種種糾葛，多樣且複雜，例如對於失智不能認出子女的父母，子女如何說服自己體認父母存在的價值？眼看著父母日益衰弱退化，和以往的形象大不相同，子女如何接受他們最真實的樣子？這些都唯有靠自己調適及化解。

　　老年人生理上恢復成年輕人，這是不可能的，心理及社會上的調適，則是可以努力的方向。台灣高齡化速度太快，對於老人照顧老老人，甚至老老人照顧老人的社會互動及心理調適的探討，還來不及跟上，少之又少。日本已是超高齡社會，且又深受儒家思想影響，因此這方面的論述比我們多且深入。知名作家岸見一郎《面對父母老去的勇氣》一書中，提供了許多照護父母時紓解心中壓力的方法，甚值得我們參考。

78

好死不如歹活？

罵人最毒的話一直是「不得好死」，
卻沒人說「不得好活」，
可見好死有時比好活更重要。

　　國人常避談死亡，然而人皆有死，死亡是完整人生的
一部分，生死皆大事，如何能夠不談？

　　先了解一下死亡人口現象：其一，台灣2017年死亡人
數共17萬1,857人，其中男性10萬1,686人，女性7萬171
人，可簡約為10比7，可見男人短命的多，女人則寡婦的
多。其二：死亡者80歲以上占38.3%，也就是近四成的
往生者活到天年；若以70歲為分界點，則約占2/3，因此
在台灣若70歲以前就作古，說句難聽的話，算是「夭壽」
了。

人口老化，往生年齡增加

「人生七十今日多」，因為人口持續老化，未來十餘年的死亡人數將再增加，死亡者是80歲以上或至少70歲以上的比率，將再提高。依照華人社會習俗，長者年過80往生，雖一則以悲，卻也一則以喜，喜的是長輩能活到天年，因此有在追悼時放鞭炮及宴請悼客的習俗，且訃聞為紅色或粉紅色，而非一般喪事用的「白帖」。

近年在台灣不論喜事、喪事幾乎都用紅帖，那如何區分是喜事或喪事呢？

往生者活到天年，即使沒有豐功偉業要詳加論述，至少也是「族繁不及備載」，因此訃聞是A4大小；而新婚的兩人一切有待發展，因此喜帖不大，至多A4一半，是婚、是喪，倒也容易分辨。

十大死因應改為五大

至於死亡的原因，眾所周知癌症列居首位，2017年癌症死亡人數為4萬8千多人，占所有死亡人數28.0%，接近三成；其次是心臟病（2萬多人）、肺炎（1萬2千多人）、腦血管疾病及糖尿病。這五大疾病就占全部死亡原因的59.7%，接近六成，因此在台灣統計十大死因沒有多大意義，改為五大死因就已足夠。

有人說「好死不如歹活」，真是這樣嗎？可是罵人

最毒的話一直是「XXX不得好死」，卻沒人說「不得好活」，可見好死有時比好活更重要。

常有人開玩笑說，最棒的「好死」是活到90，仍然耳聰目明、能吃、能喝、能走，與老公或老婆經常打情罵俏，後事早交代一清二楚，連在外與小三（或非現任配偶）生的都安排妥當，該道歉的都誠心誠意的道歉了，獲得原諒與否則另當別論，然後某日與三五好友打個小牌，大四喜門清又自摸（不知自古至今有否如此好牌），最後喜極而往生。如此個人幸福，家人又何嘗不是？這大概只有心臟病發作才有此命。

緩和醫療減少病患苦痛

至於癌末或腦血管疾病等患者，是應該事先就簽署意願書，在成為末期病人時接受緩和醫療，在最少痛苦及尊嚴下往生（今日醫學在疼痛控制上有很好的成效）；還是應該將苦痛的生命盡量延長，期待「奇蹟」，甚至享用所謂「死亡套餐」呢？

很多癌末患者因為沒有簽署放棄急救聲明，就會經歷「死亡套餐」：一開始只是因為喘，送進加護病房，插上呼吸器、放入鼻胃管；接著裝上動靜脈導管，開始使用靜脈營養，可能還要裝上導尿管；然後是輸血，更末期要洗腎；到真的不行時，還要打強心劑，給予CPR、電擊、壓胸，甚至急救到肋骨斷裂，管路都滲血了，最後才能真正

步上死亡之路（柯文哲語）。

這一段路，只為了顯示兒女盡孝、醫師盡力，卻是病人、家人、醫師及社會的四輸！

早立遺囑，人生不留遺憾

當然在簽署接受緩和醫療意願書的同時，莫忘早些立下遺囑。我猜想王永慶先生最大的遺憾，也是多位名人及若干長者的遺憾，是未在往生前立下遺囑，而使家人反目成仇、長期訴訟，甚至不能入土為安，這也算是造成「社會的不健康」，應予以預防。

既然死亡是完整人生的一部份，就不要避諱，早做安排，讓自己既好活，也好死吧！

79

好好說再見

在尚有能力判斷時，對世事及後事有所安排；

然後在沒有痛苦、有尊嚴的狀態下，

跟親朋好友好好說再見，這樣的人生有多完美？

　　生命誠可貴，且每個生命都是一場獨特的故事，不論悲歡離合、風花雪月、榮華富貴、濟世救人，均是美妙無比，即使沒有宗教信仰，也不得不讚嘆生命的奇妙，幾近「神蹟」。

　　人生美妙，所以要活得久、活得好。由於科技的發展，醫藥衛生界的努力、經濟的繁榮、教育的普及提升，加上過去70年沒有戰爭、沒有飢荒、沒有重大傳染病，也沒有像1930年代的經濟大崩盤，多數人得以享受安和樂利的生活，因此目前台灣健在的「長者」，到了2050年左

右，將是百歲人瑞，預估至少有7萬5千人。

台灣老人，大部分是幸福的

　　活得久，但活得不好，不能看美景、吃美食，更重要的是不能享受親情與友情，甚至貢獻社會、受人景仰，而只能躺在床上任由病痛折磨，可說是活受罪，多數人應該認為不要也罷！但這就是一般人腦中對老人的刻板印象。

　　但實際上，台灣人活得久，也普遍活得好，八成的人活到70歲，六成的人活到80歲，而至少有1/4的人享壽90以上。目前50歲以下者，因其生活條件比前人好很多，因此將更為長壽。現在65-70歲的「長者」，高達92%生活都尚能自理（飲食、穿衣、如廁、沐浴、移動）；75-84歲也有八成具有基本生活能力；85歲以上夠老了，生理機能快速下降，也有近半具有基本生活功能。因此目前台灣3百多萬老人中，84%能享受人生，只有16%缺少一項以上的基本能力，需要長期照護，但這已夠讓台灣社會手忙腳亂了。

自己的生命，自己決定

　　活得久且活得好，若又能在沒有痛苦、有尊嚴的狀態下，跟親朋好友好好說再見，這樣的人生有多完美？反過來說，最讓人不捨又要承受莫大苦痛的，就是所謂「不得

好死」，個人、家屬、醫師全都明白死亡近在眼前，還讓病患接受各種痛苦的折磨（插管、氣切等等），只是多拖個一、二天，甚至只數個小時。

生命誠可貴，依據醫師誓詞，應以一切手段，不計代價延長病患生命；但另一方面，國際思潮已漸漸傾向，每個人及家屬對生命的意義，應該有充分的自主權，因此「緩和安寧條例」及「病人自主權利法」，都規定只要自己預先在醫院或健保署相關辦事處立下意願，死亡在近期內不可避免時，即可不再急救。新的法規也修訂為不必全部家屬同意，而依「民法」親屬優先順序，一人同意即可。

在尚有能力判斷時，對世事有所安排，可以達到好好說再見的美好境地。王永慶一生對台灣貢獻良多，但他最大的遺憾想必是未能先立遺囑，讓流落在外的骨肉及家人成為仇人，且又浪費大量社會資源。

雖然應該尊重每個人對生命的看法，但對幾乎沒有機會恢復意識的植物人，不少家人幾乎不再探望；甚至少數案例中，為病人插管及呼吸器，只是為了家屬能繼續領取養老金。維持這樣幾乎無意義的生命，是對生命的折磨，浪費社會資源。

好好說再見才是真正疼惜生命，這是值得我們深思的。

衛生署長楊志良
不留餘地的理想派

陶曉嫚

「吳院長組閣時，報紙就寫，許多很好的人才都不願意入閣，我看了以後深有同感，我大概是第三流、第四流的人才，才會進到內閣裡面來！」接受本刊專訪時，衛生署長楊志良不禁自嘲。

他說，現在擔任政務官的待遇，跟以前做醫院執行長的薪水比起來，只能安慰自己是「為民服務」。而當時副署長、健保局局長人選從缺，「有能力的朋友們忽然都掛病號、關手機，副署長人選我找了一個月，什麼事情都做了，只差沒有下跪。這樣下去，台灣的未來怎麼辦？」

為台灣
接掌衛生署，解決公衛難題

台灣怎麼辦？在公共衛生領域，台灣面臨的棘手問題

確實不少，健保破產危機、防範新流感疫情、美國牛肉進口，以及新流感疫苗安全問題。短短幾個月，各種難題幾乎是鋪天蓋地而來，作為衛生署長，是需要一些「雖千萬人吾往矣」的勇氣與決心。

時間拉回2009年8月初，楊志良接掌衛生署，當時，陽明大學衛生福利研究所教授黃文鴻接到楊志良的來電，對於這位相交十餘年好友的新工作，黃文鴻的第一句話是，「我實在不能說恭喜，但必須跟你說一聲謝謝。」

必須說謝謝，是因為台灣當前一籮筐的問題，的確需要有人站出來解決；不能說恭喜，這恐怕是因為黃文鴻深知，以楊志良的理想性格與行事作風，在這個位置上，終將面對千夫所指。

如今看來，從健保調漲、新流感疫苗，到美牛事件，楊志良幾次談話都引來諸多爭議，黃文鴻五個月前對楊志良「不能恭喜」的預言，一語成讖。

「楊志良是這樣的，他講話，一向只是基於他的專業與理想，很少會去計算他的職位有多重，能不能說這些話，有些事情的責任太大了，不是他的位置所能負荷的。」黃文鴻說。

論專業，楊志良的資格無虞。在詹啟賢擔任衛生署長時，他便擔任副手，在公共衛生、醫務管理與健康照護

界的實務經驗相當豐富，而且早在二十年前，他就在台灣學術界打下深厚基礎，今天台大公衛系的教授，幾乎都是他的學生，現在擔任健保局局長的鄭守夏，就是在他一句「你當過我的學生，你一定要來做！」之下請來的。

為社會
堅持調漲健保費，照顧基層民眾

論理想，楊志良的確必須面對衝突。

答應前行政院長劉兆玄接下衛生署長，楊志良當時提出的唯一條件，就是要調漲健保費。他急著舉出統計數據，說明台灣的健保制度能讓10％的基層民眾，只要出一塊錢，就可以得到五塊錢的照顧，「其實，社會儲蓄應該多於個人的儲蓄，這樣才算是進步的國家。」楊志良說出了他的理想。

「社會儲蓄應該多於個人儲蓄」，某種程度上，這是違反了最基本的資本主義精神。資本主義強調「追求利己就能利他」，而楊志良的腦袋裡顯然存在另外一個「無私無我」的美好世界。而當他一股腦兒地把學院派的浪漫理想放在這個資本主義社會裡，衝撞自然難免。

早在二十年前，楊志良就曾經為了急著實現理想，而

衝撞行政倫理。

　　台大衛生政策與管理研究所教授江東亮回憶，在1988到1990年6月，他與楊志良、吳凱勳教授等人受經建會委託，完成了全民健保制度規畫，這份報告呈給當時的行政院長郝柏村，轉交衛生署做第二期規畫，想不到進度卻一延再延，「當時許多人戲稱《健保法》規畫像是小火車，就算跑下車上個廁所，還是追得上進度。」江東亮回憶。

為理想
不等衛生署，先行擬健保法草案

　　心急如焚的楊志良，當時雖已重回學界，但卻大膽決定接受立法院厚生會第三屆會長楊敏盛的請託，擔任厚生會的健保法研擬小組召集人。楊志良當時的高調舉措，立刻引起不少爭議，有人不客氣地質疑，《健保法》已經有官方推動，為什麼還要跳出另一個團體越俎代庖、插花干擾？

　　當時楊志良是這樣回應的，「我這麼做不是要取代衛生署，而是要督促衛生署加把勁。」楊敏盛、楊志良「雙楊」帶領厚生會的小組，從1991年11月開始到隔年的12月，不僅讓《健保法》草案出爐、辦完全台公聽會，還在

衛生署版本的《健保法》出爐之前，就先一步將厚生會所研擬的法案送進立法院。

「那年12月4日，在來來飯店的晚宴上，他們請當時的衛生署長張博雅出席，算是給她良性的壓力。」江東亮笑稱，在同月的28日，衛生署版本的《健保法》也送入了立法院，如果沒有雙楊推動，官方版《健保法》恐怕還要躺很久。

「楊署長這個人就像彗星一樣，留下很多光芒，但他不是恆星，沒辦法一直掛在那裡發光。」江東亮說。

楊志良的理想性格，多少與學生時代的養成有關。

1975年夏天，楊志良正在美國留學，而他在台大公衛系的學弟則浩浩蕩蕩下鄉做第一線的衛生服務。在宜蘭大同鄉松羅村的那天中午，一看到端上飯菜的歐巴桑，瞬間讓同學們嚇掉了筷子，「一名同學說，早上才在她的糞便中找到兩種寄生蟲，另一個立刻嗆聲，這有什麼稀奇，剛才還檢驗出她患了肺結核！」江東亮回憶。

目睹台灣鄉間的衛生水準如此低落，這群學生第一次深刻體認到，必須走出「為研究而研究」或「只為出版而研究」的象牙塔生活。聽到學弟「報告」，楊志良的反應不只「深刻體認」，更是即知即行，1977年，楊志良與江東亮為了籌畫鄉村保健站，兩人搭小火車到宜蘭福隆，由

於當年沒有濱海公路，只有轉搭鐵牛車，一路顛簸到澳底漁港。當地居民住在鋪茅草的土房子裡，普遍營養不良，「叫漁民握緊拳頭，然後再放開，過了三分鐘，他們的皮膚還是白的，沒辦法恢復血色！」

江東亮清楚記得：「當時，多數醫生不願意下鄉，但楊志良非常堅持，認為只要有政府協助，鄉間其實是可以留住醫師的！」於是在多方奔走之下，澳底保健站成為群醫中心，而這一點一滴的努力，也讓公共衛生觀念在台灣基層扎根。

如今，楊志良「利他精神」的腦袋更要隨時接受炮轟，於是，每當立委抨擊健保浪費、沒有效率時，楊志良經常像是被逼急了似的高聲反問：「你能說出世界上有哪個國家，保費負擔比台灣輕、照顧範圍比台灣廣、行政費用比台灣低的？如果你說得出來，我就承認台灣的健保不好。」

採訪過程中，楊志良不斷強調，「如果健保制度垮台，最倒楣的一定是基層，所以基層民眾更應該站起來。」言談之間，不難感受他的焦急。

像彗星
即使當炮灰，也要實現利他理想

　　媒體曾經假設，如果立法院不同意調漲保費、政府財政也不支持，楊志良該怎麼辦？對於這個問題，他也爽快回答：「遇到問題就是面對它、處理它，不去面對不去處理，就不要坐這個位置。如果我不能說服大眾，也不能說服長官，就應該換個更有能力的人來當衛生署長。」

　　這樣的回答，的確呼應了江東亮對楊志良的評價，真的就像彗星一樣，總是沒有商量餘地的朝著認定的方向飛，稍縱即逝沒關係，但總要摩擦出一些被人記住的火光。

　　台灣私立醫療院所協會理事長謝武吉表示，「坦白講，現在楊署長最大的問題，就是『太有擔當』。」例如美國牛肉的相關談判，是衛生署的幕僚執行的，而整個問題卻超過衛生署能力範圍，楊志良雖然沒有直接參與，但還是願意將責任一肩扛起，甚至成為馬英九總統點名必須承擔責任的對象。

　　黃文鴻也舉例，像是健保費用的調漲與否，全世界沒有一個國家是由衛生署長的層級來推動，都是交給總統、總理來主導，「現在上面的長官都不提，只怕楊志良是做

定黑臉了。」

「台灣政治是一個罩門。」前衛生署長、現任中研院院士陳建仁感嘆，歷任衛生署長、健保局長都相當專業，而且《健保法》裡面規定得很清楚，漲價在6％以內，是衛生署長的職權，「誰說這是行政院長的事情？誰說這是立法委員的事情？他們都沒有資格去管，可惜，行政倫理不能這樣講。」

但偏偏楊志良是為了理想寧願衝撞的。在台灣民眾一邊習慣這位常語出驚人的衛生署長時，楊志良是否也能學會破解政治八卦陣，迂迴而寧靜地達成他的理想目標？或者，又是再一次如彗星般地稍縱即逝？

（感謝《今周刊》同意轉載，2010年681期）

國家圖書館出版品預行編目 (CIP) 資料

中華民國如何不亡!?：以理性對抗民粹,反
轉大崩壞 / 楊志良著. -- 第一版. -- 臺北市
: 臺灣高齡化政策暨產業發展協會, 2019.07
　面；　公分
ISBN 978-986-92504-0-5(平裝)

1.言論集

078　　　　　　　　　　　108008593

中華民國如何不亡！？
以理性對抗民粹，反轉大崩壞

作　　　者——楊志良

編　　　輯——丁希如
美 術 設 計——江孟達工作室

出　版　者——社團法人台灣高齡化政策暨產業發展協會
地　　　址——100 台北市鎮江街 5-1 號 7 樓
電　　　話——02-2391-1760
傳　　　真——02-2395-1260
E - m a i l——activeagingtw@gmail.com
匯 款 帳 號——台灣銀行 (004) 城中分行 045001006091
戶名 : 社團法人台灣高齡化政策暨產業發展協會

電 腦 排 版——立全電腦印前排版有限公司
製版・印刷・裝訂——中原造像股份有限公司

代 理 經 銷——白象文化事業有限公司
地　　　址——401 台中市東區和平街 228 巷 44 號
電　　　話——04-2220-8589
傳　　　真——04-2220-8505

出 版 日 期——2019 年 7 月 1 日　第一版第 1 次印行
　　　　　　　2019 年 9 月 1 日　第二版第 1 次印行
定　　　價——350 元
I S B N——978-986-92504-0-5